COMPRENDRE
LE SEXE
OPPOSÉ

Cet ouvrage a été originellement publié par
Candle Publishing Company
101 Southwestern Blvd, Suite 210
Sugar Land, Texas

sous le titre : MALE & FEMALE REALITIES

publié avec la collaboration
de l'agence littéraire Michelle Lapautre
6, rue Jean Carriès
Paris, France
75007

© 1989, by The TEMA Corporation
© 1990, Les Éditions Quebecor pour la traduction française

Dépôt légal, 3e trimestre 1990
Bibliothèque nationale du Québec
Bibliothèque nationale du Canada
ISBN 2-89089-726-5

LES ÉDITIONS QUEBECOR
une division du Groupe Quebecor inc.
4435, boul, des Grandes Prairies
Montréal (Québec)
H1R 3N4

Distribution : Québec Livres

Conception et réalisation graphique de la page couverture : Bernard Lamy

Impression : Imprimerie L'Éclaireur

Joe Tanenbaum

COMPRENDRE LE SEXE OPPOSÉ

TRADUIT DE L'AMÉRICAIN PAR
LORRAINE PLAMONDON

adapté par
Diane Mérineau-Roussin
et
Marc Thiffault

Les Éditions
Québecor

DÉDICACE

Ce livre veut promouvoir l'avènement d'une ère de paix et d'harmonie sur cette planète. Je crois fermement que nous ne pourrons connaître de satisfaction durable dans nos propres existences qu'à partir du moment où nous apprendrons tous à vivre ensemble dans le respect et dans l'amour de la vie, à en apprécier les différents moyens d'expression, et à éprouver de la compassion quand elle se transforme en combat, comme c'est souvent le cas. Je dédie ce livre à ma mère, grâce à qui j'ai pu commencer tout jeune à apprendre.

REMERCIEMENTS

Ces pages de remerciements ont été pour moi les plus difficiles à rédiger. Tant de personnes ont défilé dans ma vie au cours des 10 dernières années (pendant que j'accumulais ce matériel, donnais des conférences et dirigeais des ateliers), que je crains d'avoir oublié d'en remercier certaines qui me sont particulièrement chères. Si vous êtes du nombre, veuillez me téléphoner. Si vous comptez parmi mes amis, vous savez probablement déjà que j'ai une bien mauvaise mémoire!

J'aimerais tout d'abord remercier Richard Houser, qui m'a permis, grâce à son soutien personnel et professionnel, de vivre les meilleurs moments, et qui m'a aidé à surmonter les pires lorsque j'en avais grand besoin.

Je remercie également toutes les personnes suivantes :

Leslie Dragon et Susan Kawakami Brietkopf, dont l'amitié fut soumise à rude épreuve quand, munies de maigres ressources, elles ont pris la gestion de mon bureau sans trop de directives de ma part, en plus d'avoir à s'occuper du classement et de la saisie des textes.

Kristine Kister Robinson, qui m'a épaulé et qui a présenté mon travail à diverses entreprises.

Stanlee Phelps, Pat Raffee et Georgia Nobel, pour m'avoir fait part de leurs commentaires sur mon premier brouillon.

Carolyn Williams-McKim et Ed McKim, qui, en m'aménageant un endroit où vivre et où installer un bureau alors que je ne pouvais pas me le payer, m'ont donné l'impression de faire partie de la famille.

Keven Howe, pour nos soirées au sushi, au sake et aux films de Rambo, alors que j'en avais grand besoin.

Odilia McFarland, qui a fait connaître mes travaux et les a moussés dans la région de San Francisco.

Richard Winn, pour sa perspicacité, son humour et pour le travail qu'il réalisa à l'aide du matériel de référence.

Warren Lyons et Judy Seigfried (ils savent pourquoi).

Josh et Pat Napua, pour Tahoe, et plus encore.

Lynne Sims, qui, en éditrice éclairée, a vu l'opportunité d'un tel livre, et m'a comblé de son amitié et de sa générosité au moment où j'en avais besoin.

Carol Estes, pour la patience, l'amour et le dévouement dont elle a fait montre en rassemblant les pièces nécessaires à la production de ce livre.

Et en particulier Jan Tanenbaum (née Jan Wienecke), ma femme et l'amour de ma vie, qui est arrivée juste à temps, et s'est révélée une associée pleine de talent et de dévouement.

PRÉFACE

Il existe un grand nombre d'articles et de publications diverses qui traitent des différences biologiques entre les hommes et les femmes, mais, jusqu'à présent, aucun de ces ouvrages n'a démontré comment ces différences affectent nos relations.

Au cours des 10 dernières années, j'ai pris connaissance des travaux de Joe Tanenbaum sur les réalités de l'homme et de la femme et j'ai appliqué cette théorie dans ma vie professionnelle, amoureuse, familiale et sociale.

J'ai été sceptique la première fois que j'ai entendu parler des théories de Joe, car je croyais connaître tout ce qu'il me fallait savoir au sujet des deux sexes. Après tout, j'étais mariée depuis 22 ans, j'avais élevé un fils et une fille, et je travaillais dans un monde d'hommes depuis l'âge de 16 ans. J'ai commencé cependant à observer de plus près le comportement des hommes et des femmes, de même que le mien. Grâce à ce cheminement fondé sur l'observation, l'objectivité et l'ouverture d'esprit, j'ai pris conscience de tout ce que je ne connaissais pas. Je me suis rendu aussi compte à quel point j'avais dénaturé ma propre énergie féminine pour survivre, ignorant alors l'énergie masculine que je possédais, même si cette dernière m'avait souvent été d'un précieux secours dans certaines situations et circonstances.

La plupart des gens sont d'avis que l'idée de la paix dans le monde ne se concrétisera qu'au moment où nous ferons la paix dans nos vies quotidiennes. La guerre des sexes, cependant, continue sans bruit depuis des siècles. Cette guerre nous a causé énormément de torts, même à notre insu. Que l'ignorance des différences qui nous séparent se manifeste sous forme de coeurs brisés ou de ventes perdues, nous effritons notre amour-propre et celui des autres chaque fois que nous subissons un «échec» dans nos relations. Le fait de connaître nos différences biologiques influence notre comportement et nous donne l'occasion de faire de meilleurs choix dans notre vie quotidienne, tout en nous aidant à exprimer une plus grande compassion envers les autres membres de la famille humaine. C'est la connaissance la plus pratique et la plus puissante qu'il m'ait été donné de recevoir au cours de mes nombreuses années d'apprentissage à titre de cadre d'entreprise, d'épouse et de mère.

Mon enthousiasme vient surtout du fait que l'information de M. Tanenbaum n'est pas «toute faite», ni formelle, ni finale. Celui-ci a tout simplement inauguré le pont le plus grand, le plus récent, permettant d'explorer le domaine de l'identité de l'homme et de la femme.

Les questions se posent maintenant et le plaisir commence ici. Du moins, en ce qui me concerne : comment est-ce que je trouve un équilibre sain? Comment pourrais-je aider les autres à répondre aux besoins propres à leur sexe? Comment peut-on répondre aux besoins de l'homme et de la femme dans leur milieu professionnel tout en exerçant une influence positive sur les résultats financiers? Quels sont les besoins des hommes et des femmes sur notre merveilleuse planète? Comment pourrais-je m'assurer que ces besoins seront comblés chez les générations à venir?

Nous avons vraiment le choix entre vivre des relations exaltantes ou les voir s'effondrer. Il en va de même pour notre espèce entière. Nous pourrons plus facilement apporter bonheur, paix et prospérité à notre monde lorsque nous commencerons non seulement à reconnaître nos différences mais aussi à les valoriser.

Lynne Sims
Éditrice et auteure

TABLE DES MATIÈRES

ILLUSTRATIONS ET TABLEAUX

INTRODUCTION

Avez-vous déjà eu l'impression de ne pouvoir faciliter vos relations avec une personne de sexe opposé malgré les efforts déployés pour modifier votre comportement? Avez-vous l'impression d'être tout simplement trop émotif, ou que les autres le sont trop peu? Êtes-vous trop ordonné, tandis que les autres sont toujours confus? Êtes-vous vraiment trop frivole ou les autres sont-ils trop sérieux? À la maison ou au travail, comment se fait-il que les faits indéniables de votre «réalité» soient si méconnus ou si mal interprétés par les autres?

Notre perception de la réalité (la nôtre et celle des autres) est filtrée par l'organisme physique que nous appelons notre corps, lequel, bien entendu, possède un esprit. Le fonctionnement de cet organisme joue un rôle important en nous aidant à comprendre les réactions que provoque en nous la réalité. Le corps et l'esprit de l'homme sont très différents de ceux de la femme, mais nous avons tendance, en tant qu'êtres humains, à ignorer ces différences et à interpréter la réalité selon les signaux de notre propre sexe. La plupart des signaux internes de l'homme lui permettant de reconnaître l'hostilité ou l'amitié, par exemple, ont évolué et les hommes peuvent entretenir entre eux des relations convenables. De la même façon, les signaux internes des femmes ont évolué, leur permettant d'établir des rapports entre elles. Lorsque le comportement d'une autre personne ne correspond pas à l'ensemble des signaux propres à notre sexe et qui nous sont familiers, nous nous sentons désorientés. Pis encore, nous nous faisons des illusions, qui nous mènent à une déception presque certaine, ou encore nous présumons à tort certaines choses.

Les milliers de personnes qui ont participé à mes ateliers sur les réalités de l'homme et de la femme au cours des 10 dernières années venaient de différents milieux culturels, raciaux, sociaux et économiques. J'ai présenté ma théorie à des membres de corporations et d'organismes religieux, dans des écoles secondaires et des universités, à des professionnels de la médecine et de la santé mentale, et à des gens de passage au pays. Tous ces gens formaient en fait un vaste creuset de l'humanité. Et j'ai pu constater, dans presque tous les cas, que les hommes et les femmes arrivaient très difficilement à s'apprécier les uns les autres. Mes clientes sont persuadées que les hommes persistent à se conduire de façon exaspérément «mâle», tandis que les hommes sont tout aussi persuadés que les femmes s'ingénient à se comporter de façon exaspérément «féminine». Les femmes croient que les hommes seraient parfaits si seulement ils n'étaient pas «défectueux» et s'ils n'avaient pas besoin qu'on les répare. Les hommes en pensent autant des femmes. De plus, tous se sentent dévalorisés par la perception de l'autre.

Nous avons tous entendu des blagues au sujet de l'homme, de la femme, des relations et du mariage. Malheureusement, même si certaines sont amusantes et nous permettent de rire de notre situation, les plaisanteries dissimulent habituellement de la colère, des malentendus et des craintes.

Une chose est claire : l'homme et la femme attendent tous deux que la personne de sexe opposé modifie son comportement. Heureusement, nous ne réussissons jamais à nous «réparer» les uns les autres, même si nous tentons d'y parvenir depuis des milliers d'années! Voyez un peu : aux yeux d'une femme, l'«homme réparé» serait presque semblable aux femmes; et pour un homme, la «femme réparée» se comporterait toujours comme un «copain de la bande»! Quelle confusion des genres! Le résultat serait encore pire que la situation actuelle!

Malgré toutes les informations recueillies au cours des quelques décennies précédentes, la «guerre des sexes» existe toujours et continue d'empirer à cause de notre faible compréhension de «l'ennemi». Nous croyons comprendre les paroles d'une personne du sexe opposé parce qu'elle s'exprime dans la même langue que nous (le français, par exemple). Nous présumons qu'un mot (ou ce qu'il signifie pour nous, personnellement) est identique pour tout le monde, même si nous savons que la signification d'un terme peut varier d'une région à une autre, d'une race à une autre, d'une religion à une autre, et certainement de génération en génération. Mais nous oublions habituellement que l'interprétation d'un mot diffère aussi selon le sexe.

En plus du fait qu'il existe possiblement une frontière linguistique entre l'homme et la femme, nous verrons que tous deux possèdent des signaux internes différents pour identifier les réactions positives et négatives.

Certains de ces signaux sont innés. Nous en avons acquis d'autres par instinct de survie, et ils continuent d'influencer notre comportement, même si notre existence n'en dépend probablement plus.

En explorant ces questions, je n'ai pas l'intention d'encourager certains comportements chauvins d'hommes ou de femmes, basés sur l'ignorance ou la répression. Cependant, certaines attitudes contiennent une part de vérité, et il est important de s'y arrêter pour comprendre l'origine du comportement et pourquoi il est mal interprété.

Un des couples participant à mes ateliers nous a fourni un exemple typique de ce genre d'interprétation erronée, qui semblait à prime abord sans conséquence. Nous parlions de la prédilection que la plupart des femmes avaient pour les fleurs. L'homme en question avait offert une superbe rose à tige longue à son épouse, en gage de son amour. Elle avait été ravie de la spontanéité, du romantisme et de la considération dont il avait fait preuve. Il avait été si content de voir à quel point elle appréciait cette marque d'amour qu'il lui avait apporté une autre rose à tige longue la semaine suivante. Elle avait apprécié son geste, mais s'est montrée un peu moins contente que la première fois. Lorsqu'il lui a offert une rose pour la troisième fois, elle lui a souri tout simplement et l'a remercié. Il a été désemparé devant l'effritement progressif de son enthousiasme, mais il a persévéré. Il savait qu'il avait eu une bonne idée, mais il se demandait comment la modifier pour raviver l'enthousiasme initial de son épouse. Ainsi, la semaine suivante, il lui a offert une rose de cristal. Elle en a été ravie. Il avait réussi! Et la semaine suivante, il lui en a offert une autre. Vous connaissez la suite de l'histoire.

L'homme et la femme manifestent tous deux des comportements insensibles témoignant d'un manque de considération. Cependant, même une attitude bienveillante peut sembler trahir un manque d'égards si la personne ne répond pas à nos attentes. Par exemple, l'homme qui tentait de faire plaisir à son épouse cherchait à lui montrer à quel point il l'aimait. S'il lui offrait la même chose, semaine après semaine, ce n'était pas par paresse, mais par simple désir de lui montrer continuellement l'amour qu'il éprouvait pour elle. (J'expliquerai au chapitre 8 la raison qui pousse les hommes à faire montre d'uniformité.) Comme il avait réussi une première fois, il s'est dit que cela marcherait toujours. Lorsqu'on découvre ce qui plaît à un homme, on peut presque garantir à tout coup qu'il y prendra toujours plaisir. L'homme semble agir suivant une règle tacite : «Si ce n'est pas brisé, ne le réparez pas!» C'est pourquoi, dans le cas de la rose à tige longue, la femme semblait inconstante, indifférente, incapable de ressentir du plaisir, ou peu encline à le faire. Aux yeux de cette femme, l'homme semblait à la fois paresseux et dépourvu d'imagination, puisqu'il répétait toujours les mêmes gestes. L'homme et la femme s'étaient tous deux trompés sur leurs intentions réciproques, et les conclusions erronées qu'ils avaient tirées avait détérioré leur relation.

Après avoir lu ce livre, vous poserez probablement un grand nombre de questions à la personne du sexe opposé au lieu de présumer que vous comprenez ce qu'elle vous dit. Je prédis que vous commencerez aussi à avoir confiance en ses paroles si vous tenez compte des différences concernant vos expériences respectives et si vous vous efforcez de les comprendre. Je vous assure que vous arriverez à résoudre facilement certaines situations qui vous auraient auparavant posé un problème.

Les différences basées sur le sexe affectent notre vie professionnelle autant que nos relations. Au cours des chapitres suivants, vous apprendrez comment ces différences déterminent les types de gestion, la structure des entreprises, les décisions, de même que les rôles que nous jouons au sein de nos familles. Vous pourrez aussi apprendre à éprouver une plus grande compassion et une plus grande confiance envers vous-même et les autres, à mesure que vous connaîtrez les motivations et les réalités propres à chaque sexe. Vous apprendrez aussi à identifier les différents types d'hommes et de femmes, ce qui vous permettra de découvrir votre style personnel et de l'accepter.

Lorsque vous aurez découvert votre propre vérité (par opposition à ce que vous croyez devoir être d'après l'opinion ou les attentes des autres), vous vous apercevrez probablement que les signes identifiant votre sexe changent très souvent. Vous vous découvrirez peut-être à la fois des traits «masculins» et «féminins», ou encore vous pourrez vous identifier uniquement à l'un de ces modèles. À mesure que vous comprendrez mieux votre comportement «normal», vous n'aurez peut-être plus envie de supporter un comportement (le vôtre ou celui des autres) avilissant ou inapte à répondre à vos besoins.

À mon avis, le plaisir de vivre ensemble sur cette planète vient justement de la complexité des possibilités s'offrant aux êtres humains. L'aspect merveilleux et varié de la vie, la découverte de nos différences, et la célébration de notre caractère unique nous permettent de constater que nous contribuons à tisser la trame de l'existence humaine. C'est en portant cette pensée au fond de mon coeur que je recherche nos «différences».

1

Pourquoi l'homme et la femme désirent mieux se connaître réciproquement

Au fil des ans, j'ai observé le comportement d'hommes et de femmes à partir d'un principe inhabituel, qui a permis à des milliers d'hommes et de femmes de s'ouvrir à la communication et à la compréhension, dans toutes leurs relations interpersonnelles. Mon principe est simple :

— Tous les êtres humains sont égaux, mais ne sont pas tous semblables;

— Les êtres humains confondent «similarité» et «égalité»;

— L'évolution de l'homme et de la femme suscite différents comportements et différentes perceptions;

— Ni les comportements «masculins» ni les comportements «féminins» ne sont «mauvais».

J'ai écrit ce livre pour expliquer notre comportement. J'ai l'intention de vous fournir une information pratique que vous pourrez utiliser immédiatement dans votre vie, aux plans personnel et professionnel.

Voici ce qu'ont dit des participants à mes ateliers sur les réalités de l'homme et de la femme, lorsque je leur ai présenté l'information en question :

— «Je croyais que quelque chose n'allait pas en moi parce que je refusais d'agir à la manière de l'autre.»

— «Je croyais que mon mari (ou ma femme) était le seul à agir de la sorte. Il me disait ce qu'il ressentait, mais je ne pouvais établir de rapport avec lui. Je pensais qu'il mentait, ou du moins, qu'il me cachait la vérité.»

— «J'ai appris avec étonnement que je ne tenais pas compte des sentiments de ma femme (ou de mon mari) parce que je croyais qu'elle s'apitoyait sur son sort. Je me suis toujours demandé pourquoi elle ne pouvait pas agir comme moi. Maintenant, je le sais et je lui ai demandé de me pardonner!»

De temps à autre, j'aime fouiner dans l'Histoire et observer les transformations du genre humain. Récemment, j'ai feuilleté un recueil de citations accumulées depuis 5 000 ans. Plus tard, lors d'un atelier, j'ai lu certaines de ces citations et j'ai demandé aux participants : «Selon vous, en quelle année cela a-t-il été écrit?»

Leurs réponses ont varié légèrement, mais la plupart ont répondu : «Oh, il est évident que cela a été écrit dans les années 1960», ou «dans les années 1970», ou encore, «dans les années 1940». Ces réponses ont confirmé mon opinion, car toutes les citations que je leur avais lues au sujet de l'homme, de la femme, et des relations dataient d'au moins 3 000 ans!

Je crois que ce que nous vivons de même que le milieu dans lequel nous évoluons ont une influence directe sur les mots que nous employons et sur nos moyens d'expression de base (habillement, manières, coutumes, etc.), mais je crois que les fondements de nos relations dépendent de notre évolution en tant qu'espèce.

Selon une théorie courante, au cours de l'évolution de l'espèce humaine, l'homme et la femme furent appelés à accomplir des tâches écologiques différentes. Ainsi, la femme récoltait la nourriture et élevait les enfants, tandis que l'homme chassait. Dans la mesure où ces activités faisaient appel à des aptitudes différentes, elles influencèrent différemment le développement du cerveau humain, selon le sexe. La femme, par exemple, devait mieux comprendre le monde dans son ensemble (du point de vue holistique et communautaire), tandis que l'homme devait faire montre de talents particuliers, comme de se souvenir d'images en trois dimensions. La survie de l'homme dépendait de la façon dont il vivait avec les autres hommes, et non avec les femmes.

Les questions auxquelles sont confrontés l'homme et la femme d'aujourd'hui préoccupaient également l'homme et la femme il y a 100 000 ans. À cette époque cependant, elles concernaient la survie de l'espèce, la survie individuelle étant secondaire. Ces questions de survie, omniprésentes, empêchaient nos ancêtres de s'arrêter aux désaccords sous-jacents surgissant continuellement entre l'homme et la femme. Après tout, il y a à peine 150 ans que l'homme et la femme sont obligés de «se parler». Auparavant, puisqu'il importait avant tout de survivre et d'élever une famille, des questions comme : «Quels sont tes projets pour la fin de semaine?» ne se posaient même pas. Nous commençons à peine à vouloir dialoguer et nous constatons que nous en sommes incapables. Jusqu'à maintenant, ce n'était pas nécessaire. Aujourd'hui cependant, l'homme et la femme doivent apprendre à communiquer.

MAIS QUEL EST DONC LE PROBLÈME?

Je demande toujours aux gens qui participent à mes ateliers ce qu'ils espèrent en tirer. Les commentaires suivants sont assez typiques.

Robert : «... j'espère découvrir de quelle façon je peux améliorer ma relation amoureuse, de même que mes relations avec mes compagnes de travail.»

Bill : «Je veux arriver plus facilement à me comporter de façon à obtenir ce que je désire et à me sentir plus libre. De plus, je veux que mon épouse se sente aussi libre et qu'elle puisse se détendre en ma compagnie.»

Charley : «(...) j'aimerais me comprendre mieux en tant que membre de l'espèce masculine.»

Ken : «(...) comprendre les relations homme femme et (...) savoir maîtriser certains des sentiments que j'éprouve envers les femmes.»

Mark : «(...) mieux comprendre les femmes et arriver à communiquer (...) à améliorer mes relations avec la femme que j'ai épousée il y a 16 ans.»

Carl : «(...) savoir comment agir envers les femmes et arriver à comprendre leurs besoins, leurs désirs, et certains des problèmes qu'elles doivent affronter au travail.»

Fred : «(...) améliorer mes relations avec mon épouse, comprendre ses crises de colère et pourquoi elle agit comme elle le fait.»

Larry : «Je suis ici pour moi, pour ma relation avec moi-même.»

Rick : «(...) pour apporter plus de plaisir et plus de joie à toutes mes relations.»

Paul : «(...) pour construire les murs appropriés et détruire les murs nuisibles.»

Kyle : «(...) pour apprendre à me montrer moins tolérant quand le comportement des autres me dérange. Je me dis que tout va bien, que cela n'a pas d'importance, alors que ce n'est pas vrai!»

Jessica : «Je veux développer de meilleurs rapports avec les hommes sans me sentir menacée par eux ni par leur comportement.»

Carole : «J'aime les hommes. Je ne veux vraiment pas les transformer, mais j'aimerais les connaître et les comprendre mieux.»

Rhonda : «J'aimerais mieux comprendre les femmes (...) car je me rends compte que je trouve toujours à redire sur elles et sur leur façon de se comporter en affaires.»

Debra : «J'aimerais mieux comprendre les hommes dans le domaine des affaires afin de leur faire concurrence plus efficacement. J'aimerais développer plus d'empathie envers les femmes de mon entourage, celles qui travaillent chez moi, mes clientes, mes employées (...)»

Carrie : «J'aimerais me sentir mieux avec moi-même et avec les autres femmes.»

Georgia : «Je n'ai pas vécu une vraie relation depuis trois ans. Je me demande donc ce qui se passe, et ce qui m'empêche d'y parvenir.»

Lori : «Je me rends compte qu'il existe beaucoup de confusion en ce qui concerne le rôle de l'homme et celui de la femme dans la société actuelle.»

Ella : «Pour apprendre à vraiment connaître les personnes du sexe opposé, il faudrait d'abord que je sache comment éviter de les blesser ou de les rendre mal à l'aise.»

Lois : «(...) j'aimerais changer de sexe pour une journée. Je crois que si je pouvais me mettre à la place d'un homme, je pourrais probablement me montrer plus compatissante à leur égard, et peut-être aussi les adorer.»

Tricia : «Ça devient un peu déroutant quand il faut toujours modifier son comportement selon que l'on est en compagnie de femmes ou d'hommes.»

Suzanne : «Je suis assez forte, mais j'ai perdu mon identité. Je crois que c'est surtout parce que j'étais conditionnée à me montrer soumise : nous avons eu des enfants et ce fut tout.»

Il semble évident, à lire ces commentaires, que l'homme et la femme poursuivent le même but : ils désirent tous deux résoudre les problèmes entre les gens des deux sexes. Cependant, les hypothèses de l'homme et de la femme sur la *façon* de résoudre les problèmes diffèrent tellement que nous avons commencé à nous considérer comme des ennemis côte à côte sur le même sentier destructeur.

Plusieurs philosophies tentent d'expliquer la genèse et l'apparition de l'espèce humaine. L'évolution et la socialisation ont quelque peu modifié notre biologie afin de nous permettre d'améliorer nos possibilités en tant qu'espèce. Cependant, en tant que personnes distinctes, nous nous exprimons tous différemment. Selon notre sexe, nous manifestons un certain «éventail» de comportements qui, bien que découlant de la socialisation, dépendent de notre héritage biologique. Je ne dis pas ce que l'homme et la femme peuvent faire ou ne peuvent pas faire, car l'esprit peut modifier plusieurs fonctions de l'organisme. Je souligne en fait ce qui vient *naturellement* aux hommes et aux femmes. Nous pouvons «supporter» bon nombre de gestes de la part des personnes du sexe opposé, ou en subir les conséquences, abandonnant ainsi une part de notre identité, mais il nous arrive trop souvent de le faire aveuglément, sans nous apercevoir des choix qui s'offrent à nous.

Si vous avez été élevé dans un milieu où l'un des deux sexes dominait (par exemple, si votre père ou votre mère avait une forte personnalité, ou si votre famille comportait plusieurs enfants du sexe opposé), il vous a peut-être fallu réprimer vos sentiments afin de vous entendre avec les vôtres. Vous vous êtes probablement habitué à ce qu'on ne vous comprenne pas, vous avez peut-être appris à vivre en ressentant un vide, ou encore vous avez peut-être accepté de ne pas pouvoir exprimer vos besoins, lesquels ont fini par se faire oublier. Maintenant, vous tentez peut-être de vous adapter à un certain «déséquilibre», sans savoir pourquoi.

L'amour se transforme en sacrifice lorsque vous réprimez vos sentiments jusqu'à ne plus savoir quel rôle vous jouez dans votre relation. Ainsi, lorsque vous vous avilissez pour prouver votre amour envers l'autre, soit que vous lui en vouliez d'être responsable de la situation, soit que vous vous détestiez pour vous être «soumis».

Une fois que vous aurez découvert ce qui est sain pour vous, vous supporterez moins que les autres vous disent comment vivre votre vie. Vous commencerez à vous rendre compte que *vous* savez mieux que les autres comment assurer votre bien-être. Ainsi, lorsqu'on vous recommandera de modifier votre comportement, vous pourrez y réfléchir ouvertement et décider de suivre ou non les conseils qu'on vous aura prodigués. Vous baserez votre décision sur le fait que vous savez ce qui vous convient et ce qui ne vous convient pas, et non sur la façon dont vous «devriez» agir.

Vous possédez peut-être certains talents qui effraient la personne du sexe opposé. Vous avez peut-être cessé de manifester ces talents ou même de les utiliser. Vous avez peut-être même oublié que vous les avez toujours possédés. Un des meilleurs exemples de «talents perdus» fut raconté lors d'un atelier de femmes que je dirigeais. Une des participantes a raconté au groupe ce qui suit : «Vous savez qu'il arrive parfois qu'on doive se rendre à l'aéroport, qu'on soit en retard et qu'il soit impossible d'arriver à temps? Il vous reste environ 16 kilomètres à parcourir, mais vous vous apercevez tout à coup qu'il ne vous en reste en réalité que huit. Huit kilomètres de l'autoroute viennent de disparaître! Envolés!» (Un grand nombre des femmes présentes savaient exactement ce qu'elle voulait dire.)

Les hommes et les femmes formées par les hommes expliqueraient ce talent phénoménal en affirmant : «Vous aviez mal lu l'heure» ou «Vous *croyiez* qu'il vous restait 16 kilomètres à parcourir, alors qu'il ne vous en restait que 8.» Il n'est donc pas étonnant que les femmes se soient habituées à taire ce genre de choses! En effet, elles risquent, en révélant ces choses, qu'on ne les prennent pas au sérieux. Les hommes (et les femmes formées par un homme) diront : «On ne peut lui faire confiance.» Pour expliquer les différences que nous examinerons, j'affirme que toutes les femmes peuvent modifier le temps, et le font. Pendant la pause de midi, j'ai demandé aux femmes qui affirmaient pouvoir modifier le temps de s'asseoir près des femmes qui disaient ne pas pouvoir en faire autant. En quelques heures à peine, celles qui affirmaient ne pas pouvoir y arriver commencèrent à recouvrer ce talent, certaines d'entre elles y parvinrent même en quelques minutes seulement!

Imaginez qu'une femme se trouve en voiture avec un homme et qu'elle lui dise : «Ne t'en fais pas, nous arriverons à temps. Je vais tout simplement faire disparaître huit kilomètres de cette autoroute.» L'homme déclarera que la femme qui l'accompagne est bizarre ou il lui dira : «C'est impossible.» Les femmes cachent cette capacité pour éviter toute dispute (ce qui peut sembler assez inoffensif sur le moment), ou elles répriment ce talent, sans savoir pourquoi. En fait, l'homme se méfie du comportement de la femme, et des talents dont elle fait preuve et qu'il ne comprend pas. La femme en fait autant de son côté.

La plupart du temps, nous ne croyons pas les paroles de la personne de sexe opposé car elles s'éloignent tellement de notre réalité que nous ne pouvons imaginer que cette personne dise la vérité. Si une femme demande à un homme ce dont il a besoin, il arrive habituellement à lui dresser une liste exacte de ses besoins. Les éléments de cette liste qui collent à la réalité de la femme peuvent s'avérer convenables, mais il est possible qu'elle considère certains des besoins de l'homme comme dégoûtants, ennuyeux, stupides, dépourvus de considération ou incroyablement égoïstes.

Nous sommes conscients du large éventail de genres, de personnalités, de caractères biologiques et chimiques qui rendent chacun de nous si exceptionnellement unique. Je crois cependant que les différences entre l'homme et la femme sont plus prononcées que les différences individuelles entre deux individus du même sexe.

DIFFÉRENCES DE STYLE

Il existe toute une variété de styles même chez les gens du même sexe : ce qui nous rend heureux, comment nous surmontons les difficultés, comment nous nous exprimons, le genre d'emplois que nous aimons. Il me semble aussi que l'homme le plus féminin est encore plus masculin que la femme la plus masculine. Par exemple, un homosexuel qui participait à un de mes ateliers était en colère contre moi, mais ne me l'a dit que plusieurs mois plus tard. Il est venu me trouver et m'a déclaré :

Vous savez, je vous en voulais vraiment et je ne désirais même pas vous adresser la parole après l'atelier. J'écoutais tout ce que vous disiez. Vos paroles concernaient tous les hommes présents mais elles ne s'appliquaient pas vraiment à moi. Je me retrouvais dans votre discours sur les femmes, mais pas dans ce que vous disiez au sujet des hommes. Je suis donc allé retrouver mon groupe d'amies (uniquement composé de femmes) et nous avons parlé des jolis garçons que nous fréquentions. Nous avons eu beaucoup de plaisir. Soudain, il me fallait prouver que vous vous trompiez à mon sujet et sur ma vie. C'est pourquoi, en plein milieu de la conversation, je leur ai dit : «Je comprends ce que vous voulez dire», en leur répétant ce que j'avais compris. Toutes les femmes se sont tournées vers moi en disant : «Non, ce n'est pas ce que nous disions.» Je leur ai répondu : «Ah bon, je comprends» et j'ai essayé de nouveau. Comme nous utilisions le même langage, et que nous parlions du même sujet, j'ai présumé qu'il n'y avait aucune différence entre leur expérience et l'expression de celle-ci. Mais ce n'était pas le cas!

Pendant tout ce temps, j'avais cru à tort que nous avions des points en commun. En plus de n'avoir aucun ami masculin, j'avais l'impression de perdre mes amies.

L'une des raisons qui m'incitaient à participer aux ateliers était la possibilité d'apprendre à me faire des amis masculins, sans qu'ils deviennent pour autant mes amants. Je voulais expérimenter une amitié d'homme à homme. C'est pourquoi je vécus ce stade. J'ai ensuite compris pourquoi je n'avais pas d'amis masculins, pourquoi je ne vivais pas cette camaraderie, pourquoi je ne pouvais pas me rapprocher des hommes. C'est que je croyais que mes traits masculins masquaient mon homosexualité et qu'il me fallait les réprimer. Je dissimulais ces caractéristiques car je ne croyais pas pouvoir manifester autant de masculinité tout en étant homosexuel, et avoir encore du plaisir. Je cachais cette masculinité au fond de moi, empêchant les hommes qui m'entouraient de vivre avec moi une relation d'homme à homme. Après avoir compris ce que je faisais, j'ai pu me faire des amis masculins. De plus, j'ai pu renouer avec les femmes et dialoguer avec elles. Maintenant, j'ai tout ce qu'il me faut. Alors, même si je vous en voulais au début, je désire vous remercier d'avoir apporté un certain équilibre à ma vie.

Mon but n'est pas seulement de vous amener à vivre de façon plus réaliste avec vous-même, mais aussi de vous permettre de mieux accepter les personnes menant des styles de vie différents. Certaines personnes du même sexe peuvent provoquer en vous la réaction suivante : «Je suis gêné que ce genre d'homme (ou de femme) fasse partie de mon entourage.» Votre malaise peut vraisemblablement découler du fait que vous possédez certaines des tendances, des caractéristiques ou des désirs de ces gens, même si vous les avez réprimés, ou si on vous a incité à les abandonner. En approfondissant vos perceptions, vous pouvez commencer à déceler chez les autres certaines de vos caractéristiques et à les comprendre, au lieu de juger autrui et de vous en éloigner.

LE MYTHE DE LA «RÉALITÉ»

Une bonne partie de ce que nous appelons la «réalité» concerne la réalité masculine (par opposition à «la» réalité). Une partie de l'intolérance dont parlent les femmes est directement reliée à cette perception tendancieuse des choses. Les personnes des deux sexes possèdent une «structure» naturelle qui, bien que saine pour eux, peut se révéler malsaine pour les gens du sexe opposé. Nous devons guérir les relations que nous vivons avec les autres hommes ou les autres femmes, de même que toutes les caractéristiques qui nous sont propres et que nous réprimons, analysons ou manipulons.

Pour entreprendre cette tâche, il faut prendre conscience du malaise que nous ressentons à l'idée qu'on nous identifie à notre propre sexe. Si j'attribuais à une femme certaines des caractéristiques masculines qu'elle manifeste parfois, elle en serait probablement ennuyée. Par exemple, si je lui disais : «Vous avez l'esprit analytique, vous pouvez vous concentrer, vous êtes inflexible, vous ne communiquez pas assez et vous ne faites preuve d'aucune compassion», elle pourrait se sentir très insultée. Cependant, si je disais à un autre homme : «Vous êtes un gorille», il me répondrait probablement : «Merci, j'ai toujours senti que j'en étais un.» D'un autre côté, si je disais à une femme : «Vous agissez vraiment comme une femme», elle pourrait très bien percevoir négativement ces paroles. Il est triste que nous puissions nous vexer si facilement du fait qu'on nous classe dans la catégorie de notre propre sexe. Je crois que nous devrions tous nous exercer à répondre : «Oui, merci, je suis un homme (ou une femme).»

Les hommes ont en commun certaines qualités, certains comportements que les femmes considèrent ennuyeux ou enfantins. Il est possible que les hommes soient tout simplement ainsi faits, et que les femmes se sentent personnellement touchées, comme si les hommes se conduisaient délibérément de la sorte. Les femmes partagent aussi certains traits communs que les hommes ont tendance à nier ou à ridiculiser parce qu'ils les rendent mal à l'aise ou qu'ils ne correspondent pas à leur réalité masculine.

Au fil de mes observations, j'en suis venu à la conclusion que les hommes et les femmes ne sont pas aptes à se retrouver constamment ensemble : nous ne sommes pas faits pour trouver un équilibre de personne à personne. Bon nombre de relations meurent par asphyxie. En effet, si l'un des deux partenaires (il arrive rarement que ce soit les deux) veut toujours rester près de l'autre, c'est habituellement mauvais signe. Bien qu'il y ait des moments où nous devons être en compagnie de personnes de sexe opposé, il arrive parfois que les hommes aient besoin de se retrouver entre eux et que les femmes aient besoin de la compagnie d'autres femmes. L'homme et la femme ont perdu de vue ces moments où ils peuvent simplement se détendre sans se préoccuper de la conversation, de leurs manières ou même de se montrer «socialisés». Dans le prochain chapitre, nous verrons comment nous persistons à considérer négativement nos différences, alors qu'elles ne sont que des différences.

RÉSUMÉ DU CHAPITRE

Le milieu dans lequel nous vivons façonne le langage que nous utilisons, de même que nos moyens d'expression de base.

L'obligation de nous adapter a influencé le développement de notre cerveau au cours de notre évolution.

Aujourd'hui, les questions de relation entre hommes et femmes sont les mêmes que celles des hommes et des femmes d'il y a 100 000 ans.

L'homme et la femme doivent apprendre à communiquer; cette communication n'était pas nécessaire jusqu'à aujourd'hui.

L'homme et la femme cherchent à résoudre les questions propres à leur sexe.

L'homme et la femme manifestent tout un «éventail» de comportements.

L'éventail de nos comportements découle en grande partie de notre héritage biologique.

Les réactions automatiques des hommes diffèrent de celles des femmes à cause de leur chimie corporelle et de l'organisation de leur cerveau.

Le comportement, incluant les réactions automatiques, nous permet d'identifier les sexes.

La survie d'un homme dépend de ses relations avec les autres hommes.

Nous présumons que tout comportement différent du nôtre est mauvais et qu'il faut le corriger.

Vous vous connaissez mieux que quiconque et savez le mieux comment assurer votre bien-être.

Vous possédez peut-être certains «talents» qui semblent menaçants pour les gens de sexe opposé.

Il existe toute une variété de «styles», même chez les gens du même sexe.

Nos propres préjugés déforment la «réalité».

L'homme et la femme ne sont pas faits pour être constamment ensemble.

2

CE QUE L'HOMME ET LA FEMME AIMERAIENT MODIFIER CHEZ L'AUTRE

Je demande habituellement aux gens qui participent à mes ateliers ce qu'ils aimeraient modifier chez les gens du sexe opposé. Je me suis aperçu que presque toutes les femmes répondent à peu près de la même façon à cette question, quelle que soit leur appartenance sociale, économique, religieuse ou culturelle (il en va de même qu'elles soient adolescentes ou retraitées). De plus, les hommes me donnent aussi des réponses similaires. En posant cette question, je désire souligner le fait que nous savons que l'homme et la femme perçoivent les différences qui les séparent comme des obstacles, et non comme de simples «différences». Voici quelques-unes des réponses que j'ai obtenues.

L'HOMME PARLE DE LA FEMME

«Ce sont des mauviettes. Elles sont faibles. Si elles ont besoin d'ouvrir un contenant, elles nous demandent de le faire alors que nous savons qu'elles en sont capables.»

«Elles sont émotives. Elles ne sont jamais logiques. Je déteste leur illogisme. Elles détestent le sport. Connaissez-vous une femme qui puisse tolérer qu'un homme regarde une partie de basket? Elles n'y comprennent rien.»

«À mesure qu'elles vieillissent, les femmes deviennent trop sérieuses, et elles ne comprennent pas pourquoi les hommes aiment sortir et s'amuser.»

«Elles sont moins portées sur les relations sexuelles. Elles ne supportent pas les coups durs. Elles manquent d'organisation, ont des sautes d'humeur, se montrent négatives, vindicatives. Et elles sont toujours en retard.»

«Elles parlent trop, et elles ont des conversations stupides. Elles changent toujours d'idée. Elles ne prennent pas les commandes lorsqu'on les leur offre. Elles sont vaniteuses. Elles trouvent toujours à redire. Elles boudent.»

«Elles veulent toujours être maternelles. Il en va de même qu'il s'agisse de notre mère, de notre copine, et ainsi de suite.»

«Elles sont trop émotives, désinvoltes, fantasques et capricieuses. Elles ont des réactions exagérées et elles sont très impulsives. Elles changent d'idée trop rapidement. Elles sont parfois trop sensibles; on dirait qu'elles marchent sur des oeufs au lieu de chercher à amortir les coups.»

«Elles veulent qu'on devine leurs pensées.»

«Elles veulent tout avoir. Elles sont des parasites-nées, et elles se montrent trop possessives envers leurs enfants.»

«Elles se servent des relations sexuelles pour nous manipuler.»

«Elles dénichent l'homme parfait et passent le reste de leur vie à le perfectionner.»

«Elles veulent des fleurs, mais elles ne sont pas prêtes à se salir les mains. Elles peuvent tuer un crocodile à coups de hache si elles y sont obligées, mais dans leurs transactions quotidiennes, elles se montrent fragiles.»

LA FEMME PARLE DE L'HOMME

«Ils croient toujours faire mieux. Même si je sais de quoi je parle, ils ne m'écoutent pas. Ils s'attendent toujours à ce que je sois parfaite, même s'ils ne le sont pas eux-mêmes. Ils sont très exigeants et m'imposent leurs valeurs.»

«Ils essaient toujours de trouver le moyen de m'attirer dans leur lit. Ils ne sont pas vraiment affectueux. Ils sont très égocentriques.»

«Je trouve que les hommes s'attendent toujours à ce que je leur rende des comptes. Je m'aperçois que je provoque en eux une certaine hostilité. On dirait qu'ils se sentent menacés; ils demeurent sur leurs gardes en ma présence. Et comme ils sont sur la défensive, ils manifestent un certain antagonisme à mon égard.»

«Ils manquent de spontanéité. Leur tenue laisse à désirer. Ils ne sont pas prévenants et n'ont guère l'esprit créateur. Ils portent des jugements. Ils mesurent tout. Ils se croient tout permis.»

«Ils s'attendent à ce que je me préoccupe d'abord de leurs besoins et de leurs problèmes. Ils croient toujours que leur travail est plus important que le mien. Ils me disent souvent que je ne comprends pas la situation, que je n'y connais rien ou que je n'ai aucune idée de ce qui se passe vraiment. Et ils marquent des points, parfois pendant des années.»

«Ils ne communiquent pas. Souvent, on essaie de converser avec eux et on n'obtient que des grognements. Ils sont souvent handicapés au point de vue émotif. Ils manquent d'intuition. Ils se concentrent trop. Quand un homme conduit une voiture, il dit souvent : «Ferme la radio et tais-toi.» Ils ne sont pas capables d'accomplir plus d'une chose à la fois.»

«Ils ont une étrange façon de se montrer grossiers et insensibles pour ensuite cesser de le faire. De plus, même s'ils se permettent l'expression et la spontanéité, ils ne veulent pas que les femmes en fassent autant.»

«Je m'occupe habituellement des problèmes épineux toute seule. Il s'occupe du côté financier. Mais s'il s'agit d'un problème humain, je suis obligée d'y remédier.»

«Ils manquent d'intuition et de compassion. Ils n'aiment pas magasiner.»

«Ils n'aiment pas parler de leurs sentiments.»

«Il s'attend à ce que je sache où il laisse ce qui lui appartient et à ce que je retrouve ce qu'il perd.»

«J'aimerais que les hommes partagent les tâches ménagères, que nous soyons partenaires à parts égales, et qu'ils ne me traitent pas comme une employée.»

On peut facilement remarquer comment s'alignent les réponses dans la liste des «réparations» : les hommes d'un côté et les femmes de l'autre, en formation de combat, brandissant le verbe «devoir» comme une arme!

Liste des réparations

Les hommes réparent les femmes	**Les femmes réparent les hommes**
Les femmes «devraient» :	*Les hommes «devraient» :*
Parler moins souvent	Parler plus souvent
Être moins émotives	Être plus émotifs
Se dépenser plus, physiquement	Se dépenser moins, physiquement
Être moins romantiques	Être plus romantiques
Vouloir faire l'amour plus souvent	Vouloir faire l'amour moins souvent
S'occuper moins des problèmes d'autrui	Se préoccuper davantage des autres
Rire moins souvent	Être moins sérieux, faire des folies
Être plus rationnelles	Être plus spontanés
Prendre les choses plus au sérieux	S'amuser plus
Se préoccuper de leur travail, de leur carrière avant tout	Se préoccuper de la famille avant tout
Rester à la maison plus souvent	Sortir plus souvent
Changer moins	Être plus souples
Moins se préoccuper des vêtements	Se préoccuper plus de leur habillement
Se préparer plus rapidement	Se préoccuper davantage de leur hygiène
Être moins sensibles	Montrer plus de compassion
Être ponctuelles	Se montrer plus souples sur la ponctualité

L'homme et la femme croient, chacun de son côté, posséder la *vérité*, qu'il s'agit là de «faits» et non d'opinions. Les hommes s'accordent au sujet de ces «faits», comme le font les femmes. Par exemple, les hommes dans mes ateliers affirment constamment que les femmes «jouent la sensibilité».

«Jouent-elles un rôle» plus sensible, ou sont-elles vraiment sensibles? En *réalité*, les femmes *sont* vraiment plus sensibles que les hommes à bien des égards. (Vous trouverez une description détaillée des différences au chapitre 5, intitulé «Comment les différences biologiques influencent les comportements».) Ce qui peut sembler de la complaisance chez la femme peut être en réalité une limite que lui impose sa stature, tout comme certains aspects physiques de l'homme agacent la femme, ou la dégoûtent, ou encore font qu'elle le trouve grossier :

«Pourquoi ne t'es-tu pas rasé ce soir?»

«Si tu étais obligée de te raser tous les jours, tu comprendrais pourquoi il m'arrive parfois de ne pas le faire.»

Dans leur liste, les hommes accusent les femmes de se montrer trop sensibles. De leur côté, les femmes déplorent l'insensibilité masculine. À chacun des traits féminins que les hommes condamnent correspond un trait masculin tout à fait opposé que les femmes rejettent tout autant. Les femmes déclarent : «Si au moins tu me ressemblais plus, tu serais bien.» Et les hommes affirment à leur tour : «Si au moins tu me ressemblais davantage, nous pourrions avoir de meilleures relations.» En voulant modifier ces comportements, les uns chez les autres, nous supposons que les personnes du sexe opposé se comportent de façon inadéquate. D'ailleurs, les hommes et les femmes présument qu'ils font tous partie d'un même clan, que les deux sexes partagent la même réalité.

Une femme a bien illustré ce fait, un jour dans un de mes ateliers. Elle a raconté qu'elle roulait en voiture en compagnie de son «idiot» de mari. (Au début de leur relation, tout était merveilleux, bien entendu, et il était le prince charmant!)

On pourrait supposer qu'après neuf ans de mariage cet idiot sache que j'aime me déchausser, desserrer mes vêtements, relaxer et apprécier le trajet lorsque nous faisons route ensemble. Lorsque nous nous arrêtons quelque part, je dois remettre mes souliers, rajuster mes vêtements et descendre de la voiture. Après neuf ans, il devrait s'y attendre. Au lieu de cela, il se fâche toujours lorsque nous arrivons à destination, voulant que nous entrions tout de suite, tandis que je suis toujours assise dans la voiture à me préparer. On pourrait croire que cet homme vient tout juste de s'ouvrir les yeux!

En examinant la situation sous cet angle, nous sommes en mesure de constater qu'après neuf ans de mariage, elle sait qu'il aime descendre de voiture sitôt arrivé à destination. C'est important pour lui. Pourtant elle est là, occupée à remettre ses souliers. Pourquoi reste-t-elle assise à perdre du temps? Il calcule qu'elle met 12 secondes à se chausser, 23 secondes à replacer ses bas, 19 secondes à... Bon, il semble qu'elle ait besoin de trois minutes et demie pour se rhabiller. Aux yeux de son mari, elle devrait commencer à le faire trois minutes et demie avant d'arriver à destination, de sorte qu'au moment de garer la voiture elle soit prête à en descendre. C'est très logique pour lui! Il peut donc conclure, sans l'ombre d'un doute, que sa passagère est idiote. Et tous les deux s'attendent à ce que l'autre modifie son comportement.

SIMILARITÉ COMPARÉE À ÉGALITÉ

L'homme et la femme confondent constamment «égalité» et «similarité». Pour la femme, être traitée en égale par l'homme signifie être traitée par lui de la même façon qu'elle le serait par une autre femme. Mais lorsque les hommes traitent vraiment les femmes en égales, elles se sentent insultées, car elles ne veulent pas être traitées de la même façon qu'un homme en traiterait un autre. «Vous voulez qu'on vous traite en égales? Alors soyez prêtes à amortir les coups.» Les copains se lancent toujours des défis. On peut tout tester en s'amusant.

L'homme dit : «Mesurons nos forces. Peu importe de quoi il s'agit.»

La femme répond : «Je ne trouve pas ça amusant.»

L'homme réplique : «C'est pourtant ma façon de m'amuser. Je croyais que tu voulais que je te traite en égale.»

Ce genre de situation déconcerte les personnes des deux sexes, car il semble que nous mentions à l'autre quand nous lui disons le contraire de ce que nous pensons. C'est peut-être la raison pour laquelle les hommes sont déroutés, au travail, lorsque les femmes affirment vouloir qu'on les traite en égales.

De l'autre côté, les hommes n'aimeraient pas qu'on les traite comme des femmes. Comme le disait un participant : «Nous ne demandons pas qu'on nous traite en égaux, qu'on nous traite comme des femmes!»

J'ai remarqué que les hommes *recherchent* vraiment, de bien des façons, à atteindre le même niveau de compassion et de sensibilité que les femmes. Les hommes veulent pouvoir partager avec les femmes les activités auxquelles ils s'adonnent avec leurs amis. Les hommes veulent relaxer, se détendre et aussi s'amuser. Mais pour les hommes, la définition de relaxer, se détendre et s'amuser diffère totalement de celle de la femme. Ils emploient peut-être les mêmes mots, mais la conception qu'ils en ont diffère grandement. Les hommes affirment vouloir qu'une relation sensuelle soit remplie de compassion. (Les femmes parlent de relation amoureuse et les hommes, de relation sexuelle.) Le fait que les motifs des hommes et des femmes diffèrent beaucoup les amène à vivre des expériences distinctes. Les hommes et les femmes pourraient peut-être communiquer plus facilement s'ils ne parlaient pas la même langue. Au moins, ils pourraient alors demander plus souvent : «Que voulez-vous dire?» Mais malheureusement, les personnes des deux sexes présument, à tort, qu'elles comprennent les paroles de l'autre. Commençons par apprendre à mettre un terme à cet éternel malentendu, et essayons de comprendre pourquoi ces différences sont importantes.

RÉSUMÉ DU CHAPITRE

L'homme et la femme perçoivent les différences qui les séparent comme des handicaps, au lieu de les considérer comme de simples «différences».

L'homme et la femme croient que leur perception négative de l'autre est parfaitement justifiée.

À chacun des traits féminins que les hommes condamnent correspond un trait masculin tout à fait opposé que les femmes rejettent tout autant.

L'homme et la femme confondent «égalité» et «similarité».

Il semble que nous mentions à l'autre quand nous lui disons le contraire de ce que nous pensons.

Les hommes recherchent la compassion et la sensibilité.

Les personnes des deux sexes présument à tort que nous parlons la même langue, mais les mots ont un sens différent pour les hommes et les femmes.

3

POURQUOI LES DIFFÉRENCES SONT IMPORTANTES

L'homme et la femme sont très différents au niveau biologique, et ces différences ne se limitent pas aux organes reproducteurs. Même en faisant abstraction de la tenue vestimentaire, de la longueur des cheveux, des bijoux, de la pilosité du visage, des expressions et des exigences sociales et culturelles, nous pourrions distinguer l'homme de la femme. Vous trouverez une liste plus détaillée de ces différences au chapitre 5. Pour l'instant, nous en examinerons brièvement les conséquences.

En ce qui a trait aux différences biologiques, une étude dont j'ai entendu parler révélait que l'homme possède un plus grand nombre de points communs avec des êtres d'une autre espèce, en particulier les singes, qu'avec la femme. Que cette étude tienne de la fiction ou soit véridique, cette comparaison ne surprendra pas les femmes.

Bon nombre d'entre nous tentent d'établir une certaine égalité entre les femmes et les hommes, et essaient de la maintenir. Cette égalité ne sera possible que lorsque nous prendrons conscience de nos besoins individuels, que nous nous préoccuperons de nos différences et que nous serons à l'écoute de nos droits respectifs. Ce n'est que de cette façon que nous pourrons maintenir cette égalité. En attendant cependant, lorsque nous tentons d'éliminer toute discrimination, nous oublions parfois les effets d'une égalité imposée, là où il existe des différences réelles, *impossibles* à modifier, ni chauvines ni racistes. J'ai écrit ce livre afin d'expliquer les comportements de la femme et de l'homme, tel qu'ils apparaissent, et non pour déterminer s'ils sont convenables. Si nous arrivons à démystifier les différences qui nous séparent, et à les accepter, nous pourrons aller au-delà de l'identification des problèmes et nous efforcer de communiquer.

LES BOUCS ÉMISSAIRES ABONDENT

Les attitudes et les émotions peuvent s'avérer les boucs émissaires rêvés pour expliquer tout comportement qui serait autrement inexplicable. Ce n'est que lorsque les différences physiques qui prédéterminent le comportement de l'homme et de la femme auront été identifiées dans leur contexte que, d'après moi, nous trouverons la solution à presque tous nos «problèmes» relationnels.

Les différences de notre musculature, de notre ossature, de la grosseur de notre cerveau et de notre chimie cérébrale, le volume de nos organes internes et leur disposition, les hormones et les endorphines que nous possédons en quantités imprévisibles, notre métabolisme, notre rythme respiratoire, notre vision, la sensibilité de notre peau, nos glandes, et toutes les autres fonctions biologiques nous amènent à percevoir les choses différemment et à proposer des solutions différentes aux problèmes qui se posent.

Il faut à tout prix cesser de juger les gens selon les stéréotypes. En effet, celui qui tente de dissuader un individu d'accomplir une tâche, qu'il peut pourtant mener à bien ou qui l'en empêche, affiche un comportement répressif et manipulateur. Il en va de même cependant lorsqu'on s'attend à ce qu'un individu accomplisse une tâche pour laquelle il n'a aucune aptitude, mais on ne tient presque jamais compte de ce fait. Par exemple, si j'étais doué pour la musique et qu'on m'empêchait d'en faire, je me sentirais réprimé et frustré. D'un autre côté, si j'étais né dans une famille de musiciens sans avoir l'oreille musicale, on me taquinerait probablement, on me punirait peut-être même, pour que j'améliore mes performances musicales. Cependant, peu importe mes efforts, je ne pourrais jamais rivaliser avec les membres de ma famille, ni même les égaler, et je me sentirais problablement «inférieur». Néanmoins, plusieurs possibilités s'offriraient quand même à moi. En effet, ma famille pourrait m'accepter avec amour, malgré mes «limites»; je pourrais me joindre à un groupe de musiciens de mon calibre, ou encore devenir imprésario pour ma famille et trouver des engagements partout au pays.

Nous connaissons tous des enfants plus âgés qui profitent des faiblesses physiques et intellectuelles des enfants plus jeunes. Certains adultes affichent encore ce comportement enfantin en traitant les autres comme des enfants qui n'ont pas fini de se développer. Nous continuons tous de croître et d'évoluer dans certains domaines de notre vie, mais en tant qu'adultes, nous devons faire preuve de réalisme. De plus, nous avons tous besoin de compassion pour pouvoir dépasser nos limites.

Mises à part les plus évidentes, il existe des milliers de différences physiques entre l'homme et la femme. Ces différences les portent tous deux à voir les choses sous un angle différent, et à envisager certains faits sous un autre aspect. Il est beaucoup plus facile de discuter de la nature de ces différences que de leur signification. Il est cependant plus éclairant de comprendre que les modes et les codes reliés au sexe influencent nos attitudes, nos émotions, nos décisions et les solutions que nous privilégions.

LES ENFANTS ONT AUSSI UNE IDENTITÉ SEXUELLE

Très souvent, les parents oublient que le comportement de leurs enfants est influencé par leur appartenance sexuelle.

Ainsi, bon nombre de mères espèrent pouvoir empêcher leurs petits garçons de se transformer en «hommes» stéréotypés, et elles ont parfois de la difficulté à se trouver des points communs avec leurs fils. Il est fascinant, et parfois même déroutant, de constater que les garçons s'intéressent peu ou pas du tout aux collections de poupées de leur mère ou à d'autres objets qu'elle garde depuis l'enfance. Les garçons préfèrent des jeux amusants, comme des concours de rots, par exemple (ou tout concours où ils se servent d'une partie de leur corps pour produire des bruits rigolos ou dégoûtants). Les mères constatent rapidement que leurs fils aiment assister à des jeux où des gens finissent par saigner ou se briser les os.

Il est très important, au point de vue du développement, que l'homme connaisse ses limites physiques et émotionnelles. Il arrive souvent que des frères ou des copains sympathisent lorsqu'ils souffrent physiquement. (Les filles le font lorsqu'elles souffrent émotionnellement.) Les garçons aiment se faire du mal mutuellement. De plus, ils inventent continuellement des situations exigeant qu'ils se jettent les uns sur les autres en sautant d'un lit, d'une coiffeuse, d'une table ou d'un escalier. Lorsqu'ils s'adonnent à ces activités parfois agaçantes, ils vérifient en réalité la résistance de leurs bras, de leurs jambes et de leurs côtes. Il leur arrive souvent de subir de légères coupures, des ecchymoses, ou de saigner du nez, car ils tentent de découvrir leur seuil de tolérance à la douleur par tous les tests d'endurance imaginables. Il est très normal pour eux d'organiser des concours où il leur faut manger, respirer, soulever des objets et même en avaler.

Les garçons se distinguent aussi des filles au niveau de leur hygiène. Demandez aux mères de vous parler des garçons et des douches. Pour les garçons, se tenir sous la douche peut sembler suffisant, et les plus futés apprennent à déplacer la savonnette afin d'échapper à tout soupçon. (Nous parlerons plus tard du sens de l'odorat chez l'homme!) Quand j'étais petit, je pouvais, tout heureux, passer un après-midi complet en compagnie de mes meilleurs amis à lancer des bas puants roulés en boule dans une corbeille à papier! Une mère peut s'apercevoir que son fils a perdu sa brosse à dents six mois auparavant sans qu'il ne se soit jamais donné la peine de le lui dire. (Après tout, s'il le lui avait dit, elle lui en aurait tout simplement acheté une autre.) Persuader les petits garçons de changer de bas ou de caleçon est tout un défi à relever, sans compter qu'ils n'apprennent jamais vraiment à utiliser des papiers mouchoirs. Si les femmes n'existaient pas, les garçons n'auraient jamais besoin de papiers mouchoirs. Ils se serviraient de leurs manches, de nappes, ou se contenteraient de renifler.

Si les femmes doivent s'attendre à un tel comportement de la part de leurs fils, les hommes doivent également se montrer plus tolérants envers leurs filles. Certaines aiment les jeux mouvementés, et papa doit se montrer prudent pour éviter de surprotéger «son petit ange». Il doit aussi s'assurer de ne pas soumettre le comportement de sa fille à des «règlements de garçons». Ainsi, il ne doit pas l'habituer à négliger ses besoins affectifs. Il doit également se garder d'attribuer la joie de sa fille à la frivolité, lui enjoignant alors de se montrer plus sérieuse et de rire moins souvent. La confusion qu'éprouve un père au sujet de la gent féminine transparaît souvent dans le comportement qu'il adopte envers sa fille. Ainsi, s'il ne tient pas compte du sexe auquel elle appartient, il aura tendance à en faire une copine, quelqu'un à qui il peut enseigner à se conduire comme lui ou qu'il peut entraîner à le faire. Bon nombre de pères enseignent à leurs filles à plaire aux hommes sans s'apercevoir qu'ils les habituent ainsi à ne pas tenir compte de certains de leurs propres besoins.

QUI VOUS A FORMÉ : UN HOMME OU UNE FEMME?

Habituellement, à la fin de mes conférences, au moins une personne s'approche de moi et me demande : «Tout ce que vous avez dit au sujet du sexe opposé semble s'appliquer à moi. Pourquoi me décrivez-vous comme si j'appartenais à l'autre sexe?»

Nos modes et nos codes homme-femme se compliquent car la façon dont nous avons été élevés pendant l'enfance influence grandement notre comportement à l'âge adulte. En plus du fait que nous possédons tous, en tant qu'homme et femme, une certaine énergie masculine et une certaine énergie féminine à des degrés différents, nous avons été formés par un homme ou une femme, selon l'environnement dans lequel nous avons été élevés. La plupart d'entre nous sommes assez déroutés par les pressions que nous imposent nos changements biologiques, les rôles que nous impose notre culture, et les attentes de nos familles. C'est pourquoi, dès l'âge de cinq ans, à cause des signaux brouillés que nous devons tenter de traduire pour survivre, nous commençons à traverser la vie en chancelant. En général, nous ne réussissons pas à comprendre de nouveaux signaux à mesure que nous grandissons. Il n'est donc pas étonnant que nous soyons déroutés!

Je me suis aperçu, au cours de mes ateliers et en consultation, que les garçons élevés principalement par des femmes (garçons formés par une femme) apprennent à adapter leur comportement à celui des femmes. Tout au long de leur cheminement, cependant, ils répriment habituellement un comportement masculin très *normal* que les femmes n'apprécient pas. C'est pourquoi ils apprennent à plaire aux femmes sans jamais découvrir comment se faire plaisir. Ils ont aussi de la difficulté à communiquer avec d'autres hommes et n'ont habituellement pas beaucoup d'amis masculins.

Les femmes qui ont été élevées dans un milieu à prédominance masculine (femmes formées par un homme) s'adaptent aussi à leur situation. Ces filles apprennent à faire partie de la «bande de copains». Elles apprennent à réprimer leur envie de rire, de pleurer, ou de parler «trop», et à mépriser les filles qui le font. C'est pourquoi, une fois adultes, elles savent faire concurrence aux hommes ou leur plaire, tout en éprouvant de la difficulté à se plaire à elles-mêmes. Elles ont tendance à rechercher l'approbation des hommes et ont besoin d'eux pour assurer leur estime de soi. Elles ont habituellement besoin que les hommes leur portent une très grande attention, à la fois quantitative et qualitative. En tant que femmes, elles comptent peu, sinon pas du tout, d'amies intimes.

Comme nous subissons un endoctrinement au cours de notre enfance, nous ne nous apercevons habituellement pas du «conditionnement» qu'on nous impose, et il nous arrive parfois de vraiment croire qu'il est nécessaire de modifier notre comportement. Il arrive souvent que des hommes me disent ne pas aimer les conversations «macho» qui se déroulent au cours des ateliers. J'ai découvert que ces hommes s'inquiètent souvent (jusqu'à un certain point) du fait qu'une femme pourrait les entendre et les mépriser. S'il est vrai que certaines de ces conversations sont répressives et avilissantes, d'autres ne le sont pas. Il est important de pouvoir distinguer l'expression *saine* de la répression afin d'éviter les conflits inutiles.

RÉSUMÉ DU CHAPITRE

L'homme et la femme sont biologiquement très différents, et ces distinctions ne se limitent pas à l'identité sexuelle.

Ce n'est qu'en prenant conscience de nos besoins individuels, en nous préoccupant de nos différences et en étant à l'écoute de nos droits respectifs que nous pourrons instaurer une certaine égalité entre hommes et femmes.

Lorsque les différences physiques qui prédéterminent le comportement de l'homme et de la femme auront été identifiées dans leur contexte, nous pourrons peut-être remédier à la plupart de nos «problèmes» relationnels.

Nos différences biologiques nous amènent à percevoir les choses différemment et à proposer des solutions distinctes aux problèmes qui se posent.

Nous avons tous besoin de compassion pour pouvoir dépasser nos limites.

Les modes et les codes sexuels influencent nos attitudes, nos émotions, nos décisions et les solutions que nous privilégions.

Les enfants ont aussi une appartenance sexuelle.

La connaissance de ses limites physiques et émotionnelles est très importante pour le développement de l'homme.

Chaque individu a appris à adapter son comportement au modèle dominant (homme ou femme) qui l'a formé.

Il est important d'arriver à distinguer l'expression saine de la répression afin d'éviter tout conflit inutile.

4

L'HOMME ET LA FEMME : VUE D'ENSEMBLE DE LEURS CORPS

Il peut être dangereux d'ignorer les différences biologiques entre l'homme et la femme, ou même de ne pas les connaître assez. Une étude récente, portant sur une hormone nouvellement découverte, illustre bien ce danger. Cette hormone (DAH), qui réduit les risques de maladies cardiaques chez l'homme en plus de contribuer à sa longévité, semble provoquer un effet secondaire chez la femme. En effet, lorsqu'on la lui administre, le risque de maladies cardiaques augmente au lieu de diminuer.

À mesure que la recherche dans le domaine de la génétique progressera, nous bénéficierons tous de l'abondance d'informations qu'elle permettra d'obtenir. Depuis 1959, on a identifié plus de 3 000 troubles héréditaires, comme le daltonisme et le diabète. Le docteur Victor A. McKusick, auteur du livre intitulé *The Mendelian Inheritance in Man*, que beaucoup considèrent comme la bible des généticiens, émet l'hypothèse que même ces 3 000 troubles peuvent ne représenter que 15 p. cent des affections transmises génétiquement. Pourtant, la plupart d'entre nous sont portés à reprocher aux autres un comportement attribuable au sexe auquel ils appartiennent, lequel peut donc s'avérer difficile ou impossible à maîtriser.

LES HOMMES MASQUÉS DE LA MÉDECINE

Les domaines de la médecine et de la recherche médicale ont été en grande partie développés par des hommes. Comme ces derniers dominaient la profession médicale, jusqu'à tout récemment on considérait la biologie du *mâle* comme la biologie de *l'être humain*. On comparait alors le corps de la femme à ce qu'on reconnaissait comme la norme : le corps de l'homme. Les malaises et les douleurs affectant particulièrement les femmes, le syndrome prémenstruel, la ménopause et le reste, ne semblaient pas mériter une étude aussi attentive et approfondie que celle du corps et des symptômes de l'homme. Heureusement, cette attitude change, mais bon nombre de femmes se sentent toujours mal à l'aise lorsqu'il leur faut discuter de symptômes que les hommes (ou les femmes formées par des hommes) risquent d'interpréter comme des signes de faiblesse ou comme des attitudes «trop féminines».

À mesure que la connaissance des besoins de la femme augmentera, on étudiera de plus près la biologie féminine. Comme un plus grand nombre de femmes atteignent les échelons supérieurs des domaines de la médecine, de la psychiatrie et de la psychologie, les affections féminines, qu'on sous-estimait auparavant en les qualifiant de «problèmes de femmes» (ou, pis encore, de «maladies de femmes»), deviennent enfin dignes d'attention pour la recherche médicale, en ce qui concerne le diagnostic et les traitements.

Un autre exemple de l'orientation masculine de la médecine fut cité, en 1973, dans l'ouvrage intitulé *Taber's Cyclopedic Medical Dictionary*. En effet, le dictionnaire définissait le «clitoris» comme homologue au pénis (similaire au point de vue structure et origine, mais pas nécessairement au point de vue fonctionnel). Dans la définition du «pénis», il n'était pas question de clitoris, et on n'affirmait nullement que le pénis et le clitoris étaient homologues. Une illustration du pénis apparaissait dans le dictionnaire, mais on n'y trouvait pas d'illustration du clitoris, ni même du vagin. L'auteur de la définition du pénis expliquait aussi que la satisfaction sexuelle de l'homme ou de la femme ne dépendait pas de la grosseur du pénis. Il est surprenant de lire une telle information dans une définition. Voulez-vous deviner qui, d'un homme ou d'une femme, l'a rédigée? En vérifiant un certain nombre de dictionnaires médicaux récents, je me suis aperçu que la définition était la même, exception faite de la mention concernant la grosseur du pénis.

Dans un rapport publié en 1984 dans *Annals of Internal Medicine*, on recommande 10 fois plus souvent aux hommes de subir un pontage cardiaque qu'aux femmes présentant les mêmes symptômes. L'étude a porté sur 390 patients traités à New York, de juillet 1982 à juin 1983. Cette étude a permis de découvrir que même après avoir considéré les différences d'âge et la gravité de la maladie, on recommandait toujours à sept fois plus d'hommes que de femmes de subir le pontage. L'étude révéla aussi que les femmes risquent deux fois plus que les hommes de voir les médecins attribuer leurs symptômes (douleurs à la poitrine et souffle court) à des maladies autres que cardiaques.

Les chercheurs ont aussi découvert une différence marquée dans les motifs poussant le médecin à recommander aux patients des examens complémentaires. En effet, chez les hommes, le médecin tentait la plupart du temps de déterminer la gravité de la maladie, tandis que chez les femmes, il essayait habituellement d'en confirmer la présence.

Le nombre de traitements recommandés pour chaque sexe ne correspondait pas au nombre de maladies cardiaques pour chacun. Les résultats de cette recherche démontrent que les perceptions sociales masquent souvent les faits scientifiques. Malheureusement, le sexisme est aussi répandu dans le domaine de la médecine que partout ailleurs.

LA FORCE GÉNÉTIQUE DU «SEXE FAIBLE»

On reconnaît l'homme comme la «norme» et, en comparaison, la femme semble appartenir au «sexe faible». C'est peut-être vrai à certains égards, mais lorsqu'on compare l'homme et la femme de façon approfondie, on s'aperçoit que cette dernière semble plus avantagée aux points de vue physique et émotif. Par exemple, le spermatozoïde porteur du chromosome masculin est plus rapide et plus «résistant» que le spermatozoïde porteur du chromosome femelle. Il se conçoit donc de 120 à 140 bébés de sexe masculin pour chaque centaine de bébés de sexe féminin.

Le taux de testostérone augmente chez la femme lorsqu'elle conçoit un garçon. La paroi utérine devient alors plus épaisse que si elle portait un embryon féminin. L'organisme tente ainsi de protéger la future mère contre les effets indésirables d'un taux élevé de cette hormone : l'apparition de caractéristiques secondaires masculines telles que l'augmentation de la pilosité et l'atrophie mammaire. L'embryon mâle est donc perçu comme un corps étranger par l'organisme de la future mère. Une des questions que soulève cette situation est la suivante : quel effet cette forme de rejet maternel si précoce pourrait-elle avoir sur la barrière émotive que l'homme érigera plus tard entre lui et les femmes?

Un plus grand nombre d'embryons mâles que d'embryons femelles périssent lors d'avortements spontanés (naturels). Pour chaque centaine de filles, il naît 106 garçons. On compte davantage de bébés morts-nés chez les garçons et le nombre de bébés mâles qui meurent au cours des trois mois suivant leur naissance est 30 p. cent plus élevé que chez les filles. Les mâles écopent de 70 p. cent de toutes les anomalies à la naissance.

La testostérone affaiblit le système immunitaire. Cette situation signifie que le garçon court un plus grand risque que la fille de contracter les maladies suivantes : leucémie, cancer du système lymphatique, troubles respiratoires, hépatite et maladies gastro-intestinales. La fille, par contre, est moins sujette aux problèmes héréditaires, car le chromosome Y est en fait un chromosome vide. Autrement dit, si le matériel génétique du chromosome X contient un gène récessif, le garçon en manifestera le caractère héréditaire, ce qui ne sera pas nécessairement le cas pour la fille.

À cause du taux d'hormones présent dans l'organisme du fœtus mâle, les garçons sont moins résistants à la naissance et s'avèrent moins bien préparés à affronter le monde que les filles. De plus, si le poids des filles, à la naissance, est de 5 p. cent inférieur à celui des garçons, le développement physique de ces derniers connaît un retard d'environ quatre à six semaines par rapport à celui des filles. La fontanelle (espace membraneux situé entre les os de la boîte crânienne avant son entière ossification) reste ouverte plus longtemps chez les garçons. L'ossification du squelette est plus précoce chez les filles et il en va de même pour la dentition. Les filles commencent plus tôt que les garçons à s'asseoir, à ramper, à marcher et à parler. En fait, les garçons naissent «prématurément» si on les compare aux filles. De plus, ils commencent à rattraper leur retard physique à la puberté, bien que celle-ci se produise chez eux plusieurs années plus tard que chez les filles. À la puberté, le nombre de garçons et le nombre de filles toujours vivants s'équivalent.

Peut-être cesserons-nous de nous demander qui est le plus fort ou le plus faible à mesure que nous évoluerons en tant qu'espèce. À mesure que nous reconnaîtrons nos différences naturelles, peut-être ferons-nous preuve de plus de compassion et apprendrons-nous à nous apprécier davantage au lieu de porter des jugements.

RÉSUMÉ DU CHAPITRE

Il peut être dangereux d'ignorer les différences biologiques entre l'homme et la femme, ou même de ne pas les connaître assez.

Jusqu'à récemment, on considérait la biologie *mâle* comme la biologie *humaine.*

À mesure que nous prendrons conscience des besoins des femmes, nous porterons une plus grande attention à la biologie féminine.

On recommande plus souvent aux hommes de subir un pontage cardiaque qu'aux femmes manifestant les mêmes symptômes.

Il arrive souvent que les perceptions sociales masquent les faits scientifiques.

Comparée à l'homme, il semble que la femme soit plus avantagée sur les plans physique et émotionnel.

Pour chaque centaine de filles, il naît 106 garçons.

L'embryon mâle (à cause de l'effet de ses hormones) est perçu, par l'organisme de la future mère, comme un corps étranger.

Le développement physique des garçons connaît un retard d'environ quatre à six semaines par rapport à celui des filles.

Les filles commencent à s'asseoir, à ramper, à marcher et à parler plus tôt que les garçons.

Le développement osseux se produit plus tôt chez les filles et il en va de même pour la dentition.

Le garçon court un plus grand risque que la fille de contracter les maladies suivantes : leucémie, cancers du système lymphatique, troubles respiratoires, hépatite et troubles gastro-intestinaux.

Les garçons commencent à rattraper leur retard physique sur celui des filles à la puberté.

À la puberté, le nombre de garçons est égal à celui des filles.

5

COMMENT LES DIFFÉRENCES BIOLOGIQUES INFLUENCENT LES COMPORTEMENTS

On oublie souvent de tenir compte des différences biologiques entre l'homme et la femme lorsqu'on tente d'expliquer leurs comportements culturel, social et émotionnel. Combien d'entre nous, par exemple, savent que la sensibilité auditive de la femme est différente de celle de l'homme? En effet, les hommes n'entendent pas aussi clairement que les femmes. Elles devraient donc toujours prendre ce fait en considération lorsqu'elles se plaignent que les hommes parlent toujours trop fort, qu'ils sont tapageurs, ou qu'ils essaient de dominer les autres en s'exprimant d'une voix autoritaire. À leur tour, bien entendu, les hommes ont souvent l'impression que les femmes parlent trop bas, manquent d'assurance, ou tentent de se montrer séduisantes en parlant à voix basse. Les cordes vocales de l'homme sont différentes de celles de la femme. Une fois que nous connaissons ces différences, nous n'avons pas le droit de faire comme si de rien n'était et de continuer à nous comporter de façon irréfléchie. Bien au contraire : les hommes pourraient essayer de se montrer plus sensibles au fait que l'ouïe des femmes est plus fine, et se rendre compte qu'ils n'ont pas besoin de leur parler d'une voix aussi puissante que lorsqu'ils parlent entre eux. De plus, les femmes pourraient se rendre compte qu'il leur faut parler plus fort pour permettre aux hommes de les entendre mieux, même si elles ont déjà l'impression de parler à voix assez élevée. Les femmes peuvent reprendre un ton de voix normal lorsqu'elles se retrouvent entre elles, et les hommes peuvent en faire autant lorsqu'ils se retrouvent entre eux. La même observation s'applique en ce qui concerne nos différences au niveau du goût, du toucher et de l'odorat.

FONDEMENTS BIOLOGIQUES

Les filles sont plus sensibles au toucher, réagissent plus intensément à la lumière, ont un sens de l'odorat plus raffiné et sont moins agitées que les garçons. De plus, leur système nerveux ne se développe pas de la même façon que celui des garçons.

Les filles sourient plus souvent, mangent moins que les garçons, et maîtrisent leur vessie et leurs intestins plus tôt.

Ces caractéristiques se développent avant que l'enfant ait pu être éduqué ou «socialisé». Déjà, à la pouponnière, les filles sont plus sensibles que les garçons. L'identification des sexes est déjà commencée.

Cette identification des sexes semble se poursuivre et s'étendre à mesure que nous grandissons. Ainsi, au jardin d'enfants, notre identité sexuelle est déjà bien établie. Dans son livre intitulé *Boys and Girls : Superheroes in the Doll Corner*, Vivian Gussin Paley examine la façon dont les garçons et les filles jouent. Elle s'est servie du jeu «faisons semblant» pour observer les enfants dans sa classe. Pendant plus d'un an, elle a noté comment les enfants parlaient, jouaient et fantasmaient, et comment ils se comportaient entre eux. Elle s'est aperçue avec étonnement que certaines des différences de comportement auxquelles elle s'attendait ne se produisaient pas. Les petites filles couraient partout plus souvent qu'elle ne s'y attendait, elles provoquaient autant de désordre que les garçons et se querellaient aussi souvent qu'eux. Les petits garçons pleuraient aussi plus souvent qu'elle ne l'aurait cru. C'est au moment où les enfants se sont mis à jouer des rôles que l'identification sexuelle est devenue plus évidente.

Vivian Paley a tenté de modifier le comportement stéréotypé des enfants, mais les garçons jouaient toujours le rôle masculin, se transformant en héros, en monstres ou en bandits. Quant aux filles, elles se transformaient en mères, en bébés, et en princesses. Elle a remarqué que, pendant les heures libres, les filles se dirigeaient vers les tables de bricolage, tandis que les garçons allaient plutôt vers les jeux de construction. De plus, lorsqu'elle leur lisait une histoire, garçons et filles décidaient d'eux-mêmes de s'asseoir sur les côtés opposés du cercle.

Les enfants ont vraiment besoin qu'on les identifie au sexe masculin ou féminin. Paley a découvert qu'aucun adulte, y compris elle-même, ne semblait pouvoir modifier le besoin que les enfants avaient de différencier les sexes et de définir les rôles sexuels, en dépit de la pression qu'elle et les autres exerçaient sur les enfants. Elle conclut que les enfants croient vraiment avoir inventé ces différences et s'ingénient à prouver qu'elles existent réellement.

Une étude culturelle portant sur 201 sociétés a révélé que la cuisine était une activité exclusivement réservée aux femmes dans 158 de ces sociétés, et aux hommes dans seulement 5 d'entre elles. Dans 179 de ces sociétés la chasse était réservée aux hommes. Les hommes s'occupaient presque toujours exclusivement du débitage du bois, du travail des métaux, de la construction des maisons, de la pêche et de la fabrication des instruments de musique. Quant aux femmes, elles s'occupaient du tissage, de la préparation de la nourriture, de l'éducation des enfants et de la préparation de boissons narcotiques.

On établit que même les sociétés isolées adoptent les rôles typiques homme-femme. Ces rôles peuvent varier légèrement, mais les distinctions sont évidentes.

Dans mes consultations et mes recherches, j'ai constaté que les hommes et les femmes désirent instinctivement s'identifier à un rôle sexuel. Nous nous conformons à la coutume qui veut qu'on n'a pas besoin de compétence particulière pour *enseigner* aux petits garçons et aux petites filles les différences qui les séparent. Les participants à mes ateliers croient généralement qu'hommes et femmes agissent différemment à cause de l'«éducation» reçue. La plupart d'entre nous semblent accepter cette théorie d'emblée, et et nous avons vite fait de pointer du doigt les modèles «macho» (pour les hommes) et les modèles «soumis» pour les femmes. Ce ne sont pas tous les modèles culturels qui véhiculent ces deux images particulières de l'homme et de la femme, mais nous avons tendance, par notre comportement, à ne pas tenir compte des éléments positifs que ceux-ci nous ont fournis. Qu'est-il arrivé, par exemple, à tous les petits garçons qu'on a élevés à l'époque de *Papa a raison*, *La Famille Stone*, et *Lassie*, pour ne nommer que trois des émissions télévisées les plus regardées et les plus «positives»? Ces séries remarquablement populaires présentaient toutes un père rempli de compassion, de considération, d'amour et de sensibilité. Ces pères jouaient loyalement leur rôle de modèle culturel du «soutien de famille», mais ils n'élevaient jamais la voix en parlant à leur épouse et à leurs enfants; ils n'avaient jamais recours à la violence physique, évitaient de se disputer avec les autres hommes ou tentaient de résoudre tout conflit de façon positive; leur tenue était toujours impeccable, et ils n'oubliaient jamais de prendre une douche ni de se raser. Si nous attribuons notre comportement seulement à nos modèles culturels, pourquoi ne tenons-nous pas également compte des exemples «positifs» que nous avons reçus?

À mon avis, les enfants ne savent plus comment se conduire de façon «appropriée» parce que leurs parents soulignent trop les différences (positives ou négatives), entre les hommes et les femmes, ou encore parce qu'ils tentent de ne pas en tenir compte.

Comme Vivian Paley l'a découvert au cours de ses recherches, malgré les efforts visant à modifier les comportements stéréotypés, les enfants de cinq ans se sentaient plus à l'aise en jouant des rôles basés sur leur appartenance sexuelle. Je ne propose pas de restreindre nos possibilités à des limites imposées par notre sexe, ni d'accepter d'être victimes de préjugés sexuels. Mais j'affirme qu'une fois que nous connaîtrons nos *fondements biologiques*, nous pourrons réorienter nos vies plus facilement. Notre biologie peut tracer un scénario, mais notre intelligence et notre compréhension peuvent nous aider à le remanier.

NON, NOUS NE VOYONS PAS LES CHOSES DU MÊME OEIL

Alors que 8 p. cent des hommes ont de la difficulté à percevoir les couleurs, seulement 0,5 p. cent des femmes éprouvent le même problème. Autrement dit, 8 hommes sur 100 souffrent de ce problème, comparativement à 1 femme sur 200. Les proportions s'établissent donc à 16 contre 1. (Ceci expliquerait-il pourquoi les hommes ont un faible pour le noir, le brun et le gris?)

La perception des couleurs est une différence fonctionnelle, entre l'homme et la femme, qu'il est possible de mesurer. Ainsi, une différence de couleur subtile peut sembler évidente aux yeux d'une femme, alors qu'elle pourrait échapper aux yeux d'un homme. Avez-vous déjà entendu un échange comme celui-ci?

Elle : «D'après toi, laquelle des deux couleurs irait bien avec ce fauteuil?»

Lui : «L'une ou l'autre.»

Elle : «C'est important. Je veux savoir ce que tu en penses!»

Lui : «Je te l'ai déjà dit, peu m'importe! Je trouve qu'elles se ressemblent!»

Elle se fâche alors et semble exaspérée.

Malheureusement, cette conversation se répète continuellement. La plupart d'entre nous arrivons à pousser les choses si loin que, habituellement, nous mettons assez rapidement un terme à la conversation pour éviter qu'elle ne s'envenime. Mais cette méthode réussit presque toujours à nous éloigner l'un de l'autre. Aux yeux de l'homme, la femme peut sembler trop sensible, trop pointilleuse, et paraître faire une montagne d'un rien. Aux yeux de la femme, l'homme peut sembler insensible, sur la défensive, ou d'une indifférence alarmante. De toute façon, ce genre d'échange illustre bien comment, à partir des perceptions et des interprétations découlant de son vécu, chaque personne peut se laisser aller à des suppositions (habituellement inexactes) et comment elle peut confondre ces suppositions avec la réalité.

Par exemple, la femme, ne sachant pas que l'homme ne peut percevoir aucune différence notable entre les couleurs, peut présumer qu'il évite délibérément d'en choisir une afin de lui montrer que la question n'a aucune importance à ses yeux. Elle peut croire qu'il essaie d'éviter de prendre une décision afin de pouvoir lui faire des reproches si elle ne choisit pas la bonne couleur! La femme croit alors qu'il hésite, une fois de plus, à prendre le genre de décisions qu'elle trouve significatives.

De son côté, l'homme peut croire que la femme tente délibérément de l'intimider en l'entraînant sur un terrain (la différence des couleurs) qu'il connaît mal ou qu'il ne comprend pas. Ou encore, il peut croire qu'elle manifeste une sensibilité absurde pour un sujet d'une insignifiance (à ses yeux) aussi évidente. Il peut alors conclure qu'elle ne voit pas où sont les vraies priorités et qu'elle gaspille son temps à se soucier de sujets dérisoires. Il classe cette perception erronée comme si c'était un fait évident.

Pour éviter que la conversation ne s'envenime et ne prenne des propositions démesurées, ils cesseront tous deux de parler, se soumettront à l'idée de l'autre, ou encore s'éloigneront l'un de l'autre pour éviter toute controverse additionnelle. Dans cet exemple, les deux se retrouvent perdants, et chacun se considère comme «le» perdant de la situation. La communication est un processus complexe que ces deux genres de préjugés compliquent davantage.

L'homme et la femme manifestent une autre différence significative dans leur perception visuelle. Dans le rapport *Thomas Water Level Task*, 100 p. cent des hommes fréquentant l'université ont indiqué correctement, à deux degrés près, le niveau d'eau contenue dans un flacon incliné, tandis que seulement 31 p. cent des femmes en firent autant, et 69 p. cent d'entre elles se sont trompées de 15 à 20 degrés. On a soumis à ce test des garçons âgés de seulement 12 ans, et ils l'ont tous réussi. Il n'est pas étonnant que cette étude soit si populaire (au point de vue social ou «éducatif») car on présumait que les femmes étaient plus habituées à verser de l'eau. Malgré cette hypothèse, 69 p. cent d'entre elles ont échoué le test, tandis que 100 p. cent des hommes l'ont réussi.

La vision diurne des hommes est meilleure que celle des femmes, mais leur vision nocturne est moins bonne. Cette différence s'intensifie à mesure que les hommes vieillissent. Il est cependant intéressant de noter que ce sont eux qui assument habituellement la tâche de conduire le soir.

Les femmes sont moins sensibles à la lumière que les hommes. Les bébés de sexe masculin réagissent aux éléments attrayants qui les entourent : lumières, motifs, objets à trois dimensions. Les garçons sont attirés par les objets plutôt que par les gens. Les filles réagissent, de préférence, aux gens qui les entourent. Elles s'intéressent plus aux visages qu'aux objets. Ces intérêts différents se manifestent au berceau, bien avant que les attitudes des parents ou la socialisation viennent influencer le bébé.

L'homme réussit habituellement mieux que la femme dans les tâches exigeant des aptitudes visuelles; il déchiffre mieux les cartes géographiques et les labyrinthes, perçoit mieux la rotation à trois dimensions, et a un meilleur sens de l'orientation, ce qui lui permet de mieux se situer dans l'espace.

LA FEMME EST-ELLE VICTIME D'UN COUP MONTÉ?

Le bassin de la femme est conçu pour porter un enfant, provoquant par le fait même le balancement des hanches lorsqu'elle marche, autre particularité permettant, encore une fois, de différencier les sexes. La morphologie de la femme lui rend plus difficiles des activités comme courir et grimper à une échelle. Ses articulations, plus souples, la dotent d'une *flexibilité et d'une agilité supérieures*. Quant à l'homme, son ossature plus massive lui permet de mieux supporter les coups. Comparées à celles de l'homme, les épaules de la femme sont étroites, tandis que ses hanches sont larges. Ses mains sont aussi plus étroites, ses pouces plus faibles, son crâne plus mince et ses os plus légers.

C'est pourquoi il est facile pour les hommes de s'exclamer : «Ce n'est rien! Pourquoi n'ouvres-tu pas simplement ce bocal?» L'homme a la poigne beaucoup plus forte que la femme. Ainsi, son pouce peut être vingt fois plus fort que celui de la femme, et la grandeur de sa main lui permet d'accomplir un grand nombre de tâches plus aisément qu'elle. Les petites faiblesses dont fait montre la femme peuvent, en réalité, refléter les limites de sa structure physique.

Le crâne de la femme est en moyenne plus petit à la base que celui de l'homme, tout en se révélant plus large au sommet. De plus, son front est plus vertical que celui de l'homme.

Les lèvres de la femme sont plus rigides que celles de l'homme, et ses yeux occupent une plus grande superficie du visage.

La voix de la femme est plus aiguë que celle de l'homme (ses cordes vocales étant plus courtes) et ses poumons sont plus petits.

RÉSISTANCE SUPÉRIEURE OU PEAU PLUS ÉPAISSE?

La peau de l'homme renferme moins de terminaisons nerveuses que celle de la femme et sa pilosité, qui joue un rôle protecteur, est plus abondante. Sa peau est plus épaisse et moins sujette aux ecchymoses que celle de la femme, plus sensible au toucher. C'est pourquoi la femme accorde plus d'importance que l'homme à la douceur des tissus.

La partie supérieure du corps est moins forte chez la femme que chez l'homme, même chez deux personnes également en forme. En moyenne, la taille des femmes est inférieure de 10 p. cent à celle des hommes, leur musculature est inférieure de 20 p. cent et leurs bras sont de 50 p. cent moins forts.

La quantité de graisse emmagasinée varie beaucoup d'un sexe à l'autre. En moyenne, le corps de l'homme est constitué à 15 p. cent de gras, comparé à 23 p. cent chez la femme. Comme la graisse sert de carburant pour notre corps, cette différence de 8 p. cent joue un rôle important en ce qui a trait à la quantité d'énergie et à la résistance supérieures de la femme. Imaginez que votre taux de graisse augmente ou diminue de 8 p. cent du jour au lendemain. Comment ce changement pourrait-il influencer vos activités de la journée?

En plus du fait que la quantité de graisse emmagasinée diffère d'un sexe à l'autre, la méthode d'emmagasinage varie elle aussi. L'oestrogène agit de façon positive et négative chez la femme. Le bon côté de la médaille est que sous l'effet de cette hormone, l'organisme féminin métabolise les aliments en deux types de graisses distincts. Tout d'abord, le corps de la femme renferme du gras mou qui, tout comme chez l'homme, lui fournit immédiatement le glucose dont elle a besoin pour obtenir tout de suite force et énergie. Ensuite, l'oestrogène ralentit le métabolisme de la femme, permettant alors à tout son organisme d'emmagasiner ce qu'on appelle le «gras dur». Lorsque l'homme épuise sa réserve de 15 p. cent d'énergie lors d'activités rigoureuses, il réduit sa réserve de glucose à zéro. Lorsque cette même réserve s'épuise chez la femme, l'oestrogène commence à transformer le gras plus dur, permettant à la femme de résister plus longtemps que l'homme. Le mauvais côté de la médaille est que l'organisme de la femme ne peut pas éliminer aussi rapidement que celui de l'homme ses réserves de graisse. L'homme perd plus de poids que la femme, même en restant immobile, car la proportion muscles/gras de son corps est plus importante que chez la femme. Comme les muscles brûlent plus de calories que le gras, et comme la musculature de l'homme est supérieure à celle de la femme, celui-ci dépense approximativement cinq calories de plus par heure que la femme.

La couche de graisse sous-cutanée de la femme est plus importante que celle de l'homme, ce qui lui permet, par conséquent, de mieux supporter le froid et de flotter plus facilement. La femme est plus sensible que l'homme aux effets de l'alcool et risque plus souvent que lui de subir des blessures physiques si elle en abuse. À consommation égale, la femme peut subir deux fois plus que l'homme les effets de l'alcool.

TALENTS DE DÉCODAGE

Les femmes ont tendance à rêver de scènes d'intérieur, et les autres femmes jouent un rôle prédominant dans leurs rêves. Tout s'y déroule habituellement de façon amicale, le rêve contenant peu d'éléments manifestement sexuels. Le visage des personnages évoluant dans les rêves féminins est généralement plus reconnaissable que dans les rêves masculins. Ces derniers comportent un plus grand nombre de confrontations avec des étrangers et davantage de violence physique que les rêves féminins. De plus, deux fois plus d'hommes que de femmes figurent dans les rêves masculins et lorsqu'une femme surgit dans le rêve d'un homme, le contexte est habituellement sexuel.

Les garçons sont physiquement plus agressifs que les filles, se battent davantage, et rêvassent plus souvent qu'elles.

Les filles comprennent mieux les techniques verbales, saisissent plus rapidement les analogies et assimilent mieux les langues que les garçons.

Les filles commencent à parler tôt, ont une meilleure prononciation et lisent habituellement plus facilement. Comme elles apprennent à parler plus tôt que les garçons, elles en tirent très vite avantage à l'école. Les garçons les rattrapent cependant au moment où les mathématiques prennent une grande importance à l'école.

L'hémisphère droit du cerveau (talent spatial) se développe dès l'âge de six ans chez le garçon, et seulement vers l'âge de treize ans chez la fille.

Les fillettes commencent d'abord par dessiner des *personnages*, tandis que les garçons se concentrent sur des *objets*. Certaines infirmières ayant participé à mes ateliers ont confirmé que, pour calmer les petites filles, elles les prenaient dans leurs bras, les caressaient et leur parlaient. Quand il s'agissait de calmer les petits garçons, elles leur donnaient des objets à regarder et à tenir dans leur main.

Le développement cellulaire de l'hémisphère gauche (verbal) des petites filles de quatre ans est plus avancé que chez les garçons du même âge. L'hémisphère droit (spatial) du cerveau des garçons est plus développé que celui des filles.

Les filles sont plus agressives verbalement, tandis que les garçons sont plus agressifs physiquement. Les garçons semblent considérer le défoulement musculaire satisfaisant et plaisant et il se peut que ce soit imputable à la testostérone, qui a pour effet d'accroître la sensibilité aux menaces et aux contacts physiques.

L'incidence de problèmes d'apprentissage est plus élevée chez les garçons que chez les filles. On attribue ce phénomène au fait que le cerveau des garçons est moins symétrique.

Seize études menées à plusieurs reprises ont démontré que les femmes étaient plus empathiques que les hommes. Soixante-quinze études ont démontré que les femmes étaient supérieures dans le décodage de signaux non verbaux.

Les femmes assimilent les langues plus facilement que les hommes en ce qui a trait à la facilité d'élocution, au raisonnement verbal, à la rédaction et à la lecture.

Les femmes chantent juste dans six fois plus de cas que les hommes. (Ne serait-il pas temps de faire montre d'un peu de compassion pour les hommes qui refusent de chanter en public?)

LE NEZ SAIT TOUT

Les femmes sont beaucoup plus sensibles que les hommes aux phéromones (messages olfactifs, forme de communication olfactive).

Chez l'homme et la femme, le sens de l'odorat est plus faible le matin, plus fort le soir. Mais, tout au long du jour, l'odorat de la femme est plus sensible que celui de l'homme, selon deux chercheurs qui ont expliqué cette variante olfactive entre les deux sexes. En effet, Robert Henkin, de l'Université Georgetown, croit que la sensibilité olfactive est reliée aux niveaux hormonaux de l'organisme. Ainsi, lorsque l'ovulation se produit et que le taux d'oestrogène augmente, la sensibilité olfactive monte en flèche, s'intensifiant jusqu'à mille fois. Les découvertes de Henkin laissent supposer que la sensibilité et les talents olfactifs des femmes sont reliés au niveau hormonal et à la reproduction.

Selon certaines statistiques significatives, les mères de bébé âgés de six heures peuvent identifier leur propre bébé parmi les autres en se fiant uniquement à leur odorat. Les hommes ne peuvent en faire autant. Combien de fois les hommes et les femmes se contredisent-ils au sujet de «l'odeur» de la nourriture, des vêtements, de l'environnement et au sujet de l'hygiène? Combien de fois la femme dit-elle à l'homme qu'un aliment est vieux, gâté ou qu'il sent mauvais? L'homme soulève alors l'assiette, le litre de lait ou le vêtement pour le sentir. Il lui faut le faire avant de pouvoir émettre un jugement, et même à ce moment-là, l'odeur lui semble moins prononcée que ne le prétend la femme. L'homme croit alors que la femme se montre trop pointilleuse ou qu'elle trouve trop à redire. De son côté, la femme croit que l'homme se montre trop indulgent, buté, et qu'il manque de considération envers elle. Il ne s'aperçoit peut-être pas que l'odeur est repoussante tandis que la femme, de son côté, ne peut nier ce fait (même si l'homme s'attend à ce qu'elle le fasse).

ALIMENTATION

L'homme et la femme n'assimilent pas la nourriture de la même façon. En effet, les différences dans la structure de leur cerveau, leur musculature et leurs hormones expliquent les différences dans la façon dont leur corps transforme les aliments par métabolisme. On trouve un exemple de ce fait parmi les études alimentaires effectuées par Elsie M. Widdowson au cours de ses recherches médicales. En 1946, elle a étudié les forces et les faiblesses respectives des hommes et des femmes vivant en Europe, après la guerre. Elle a découvert que 60 p. cent des personnes souffrant de malnutrition étaient des hommes.

En 1947, Elsie Widdowson a examiné des centaines d'enfants allemands devenus orphelins. Ces enfants avaient survécu, avec, pour toute nourriture, des rations de guerre. En comparant les enfants allemands aux petits Américains et aux Anglais du même âge, elle a découvert qu'ils étaient plus petits et qu'ils pesaient moins. Elle a remarqué que les enfants plus âgés étaient plus souffrants que les plus jeunes mais, pour tous les groupes d'âge, les garçons manifestaient un plus grand nombre de symptômes de privation que les filles.

En effectuant des recherches sur des animaux (à titre de membre de la faculté de médecine de l'Université Cambridge), elle s'est aperçue que le corps mâle et celui de la femelle transforment, par métabolisme, les protéines et les gras à des rythmes différents. En soumettant les animaux à la privation, elle a découvert que les mâles perdaient 16 p. cent de leurs protéines contre 19 p. cent de leur graisse. Les femelles, par contre, perdaient 8 p. cent de leurs protéines contre 37 p. cent de leur gras. Parce qu'elles possèdent de plus grandes réserves de graisses, les femelles arrivent à supporter plus facilement et plus longtemps la privation de nourriture.

De plus, quand elle permettait aux femelles de manger à leur faim, celles-ci arrivaient à retrouver un niveau normal de protéines et de gras, alors que les mâles n'y arrivaient pas. La capacité d'emmagasiner du gras augmente chez les femelles à la puberté, et encore plus après la première grossesse. Selon l'hypothèse, le gras additionnel permet à la mère de survivre plus longtemps, et permet de puiser ainsi à même ses réserves les éléments nutritifs nécessaires à ses petits. Les mâles grandissent et grossissent plus rapidement que les femelles au cours de la puberté et ont donc besoin d'une plus grande quantité de nourriture.

Les preuves d'Elsie Widdowson démontrent que tout au long de la vie, à chaque stade de la croissance, l'homme et la femme ont des besoins alimentaires différents. Je crois qu'il est très important pour nous de comprendre ces différences et de commencer à s'alimenter selon nos besoins individuels.

Le corps de l'homme est constitué à 40 p. cent de muscles et à 15 p. cent de gras. Pour la femme, ces proportions s'établissent respectivement à 23 p. cent et à 25 p. cent. Les muscles de l'homme sont striés (hauts en fibre), tandis que ceux de la femme sont lisses (faibles en fibre). Les muscles striés sont plus «définis» et brûlent un plus grand nombre de calories que les muscles lisses. L'écart entre les proportions muscle/gras du corps de l'homme est plus élevé que chez la femme. Les muscles striés brûlent aussi plus de gras, utilisant immédiatement le glucose, tout en diminuant la quantité disponible. Vous trouverez au chapitre 9, intitulé «Répartition de l'énergie», les effets qu'exercent sur l'homme ces différences sexuelles.

Les hormones mâles favorisent l'accumulation de la graisse principalement au-dessus de la taille, tandis que les hormones femelles en favorisent l'accumulation aux hanches et aux cuisses, probablement pour y emmagasiner l'énergie dont la femme aura besoin au cours de la grossesse et de la lactation.

L'accumulation de graisse chez l'homme (parce qu'elle se produit plus haut dans le corps) le rend plus susceptible de souffrir de fatigue et de maladies cardiaques. Les cellules adipeuses de la région stomacale grossissent afin d'emmagasiner la graisse. C'est pourquoi le corps de certains hommes prend la forme d'une orange sur un cure-dents. Chez la femme, le *nombre* des cellules adipeuses augmente aux hanches et aux cuisses, ce qui lui permet d'emmagasiner la graisse. Il est plus facile de réduire le volume des cellules adipeuses de l'estomac que d'éliminer celles qui se sont déposées aux hanches et aux cuisses.

La peau de la femme est rattachée aux muscles sous-jacents par de fins ligaments parallèles, sa structure s'apparentant ainsi à celle d'un matelas. Ces ligaments n'ont pas beaucoup de jeu, cependant. L'excès de gras remplit les interstices séparant les ligaments, se voit à travers la peau et lui donne l'aspect d'une écorce d'orange. Cet effet s'appelle la cellulite. Les éléments connectifs des muscles de l'homme, par contre, sont constitués de ligaments entrecroisés. La graisse de l'homme s'accumule en une couche lisse, car il n'existe pas de vallées ni de crêtes où elle puisse s'accumuler.

La femme est plus souvent sensible que l'homme aux changements de température et se montre plus frileuse que lui, même si elle est dotée d'un meilleur «isolant» adipeux. La chaleur du corps repose sur deux facteurs principaux : la capacité de produire de la chaleur et le pouvoir de la conserver. L'homme arrive un peu plus facilement à produire de la chaleur que la femme. Comme la masse musculaire de l'homme s'établit à 40 p. cent, comparativement à 23 p. cent, en moyenne, chez la femme, son métabolisme de base (important facteur permettant d'évaluer la production de chaleur du corps) est supérieur. La graisse que renferme le corps de l'homme est mieux distribuée dans la région thoracique, ce qui explique sa meilleure résistance au froid. Par contre, la proportion plus élevée de graisse chez la femme (25 p. cent comparé à 15 p. cent) l'aide à mieux conserver la chaleur. Toutefois, ces vertus isolantes sont neutralisées par la mauvaise circulation et le métabolisme de base moins élevé de la femme.

Le registre de température à l'intérieur duquel la femme se sent à l'aise est plus étendu que celui de l'homme. La température corporelle de ce dernier se situe habituellement à 37 °C (98,6 °F), ne variant que légèrement d'un homme à l'autre. Chez la femme, la température du corps peut s'écarter, au cours d'un mois, d'au moins deux à trois degrés de la normale (37 °C). Cette fluctuation résulte en partie des modifications hormonales qui surviennent dans l'organisme féminin au cours du cycle menstruel, soit, plus particulièrement, l'augmentation et la diminution des hormones oestrogènes. Avant l'ovulation, la température normale de la femme, au repos, descend à 35,5 °C (96 °F), puis augmente un peu après l'ovulation. Certaines femmes qui ont toujours été frileuses deviennent moins sensibles au froid à la ménopause, leur corps produisant alors moins d'hormones.

Les préférences de l'homme et de la femme en ce qui concerne la température sont plus évidentes maintenant qu'ils travaillent et vivent ensemble. Le fait que les vêtements que portent habituellement les hommes (pantalon, chemise à manches longues et veston) soient toujours plus chauds que les vêtements des femmes explique en partie ces préférences. Les femmes perçoivent le froid plus facilement car le sang quitte leurs extrémités pour protéger le reste du corps plus rapidement. Elles ressentent le froid plus intensément parce que la température de leurs mains et de leurs pieds s'abaisse brusquement. Les femmes peuvent combattre cette sensibilité au froid et peuvent même l'éliminer en exécutant de vigoureux exercices, qui, en plus d'élever leur métabolisme de base pendant des heures, permettraient au corps de produire une chaleur de 15 fois plus élevée. (Les hommes peuvent aussi se montrer attentifs aux changements de température corporelle de la femme et à ses besoins de modifier la température ambiante.)

On peut aussi aider le corps à produire plus de chaleur en modifiant son régime alimentaire. En général, l'homme et la femme ont plus chaud après les repas car leur métabolisme de base est alors légèrement plus élevé. Les féculents tels que pain et pommes de terre produisent plus de chaleur que les aliments gras — la couenne de lard, par exemple — qui entravent la production de chaleur. En buvant beaucoup de liquide il est possible de maintenir une sensation de chaleur. On pourrait croire que le café réchauffe le corps, mais à la longue, ceux qui le consomment ont plus froid. La caféine est un diurétique et favorise la déshydratation. De plus, comme la caféine exerce un effet vasoconstricteur, elle inhibe la circulation sanguine (la nicotine a le même effet). Il est préférable de consommer de l'eau et des jus de fruits car ils ne produisent aucun effet secondaire.

PROGRAMMATION DE LA PROCRÉATION

Nous connaissons presque tous les caractéristiques des hormones sexuelles. Nous savons qu'à la puberté elles influencent la pilosité, le développement des seins et des muscles, et l'attirance que nous éprouvons envers les gens du sexe opposé. Nous connaissons en partie les différents effets qu'exercent les hormones sur les athlètes et les transsexuels qui les prennent, ou sur tous ceux qui tentent de contrôler le développement de leur corps. Par contre, nous connaissons peu les effets *organisationnels* de ces hormones.

Les effets organisationnels sont programmés génétiquement dans l'organisme bien avant la puberté. En fait, comme nous l'avons déjà souligné, ils sont programmés à différents stades du développement du foetus. En plus de déterminer la forme et la structure que prendra le corps, ces effets organisationnels définissent aussi la façon dont le corps réagira aux influences hormonales lors de la puberté.

Le corps des gens à voix grave renferme une plus grande quantité de testostérone et moins d'oestrogène que celui des ténors, et leur vie sexuelle est plus active. Le niveau de testostérone des violeurs et des exhibitionnistes est plus élevé que la normale. Chez les alcooliques, le niveau de testostérone est inférieur.

Certaines études ont démontré que les administrateurs de grande taille ont plus fréquemment des relations sexuelles que les administrateurs de petite taille, et que leur niveau de testostérone peut augmenter à la fois avant la relation sexuelle et après. Les hommes âgés produisent plus d'oestrogène et moins de testostérone que les hommes plus jeunes. De plus, ils sont plus patients et peuvent se révéler de meilleurs amants parce qu'ils y sont contraints. Ainsi, ils remplacent la capacité d'éjaculer à plusieurs reprises en se blottissant contre leur partenaire, en conversant avec elle et en employant d'autres formes de stimulations érotiques.

On explore encore de nos jours les différences existant entre l'oestrogène et la testostérone. En gros, nous savons que la testostérone est une hormone mâle qui provoque un certain nombre d'effets : agressivité, esprit de compétition, voix plus grave et plus profonde, texture plus grossière des cheveux, et ainsi de suite. L'oestrogène est une hormone qui exerce le même effet que les montagnes russes : elle provoque des sautes d'humeur (SPM), influence l'accumulation de graisse et la production d'ovules. On ne peut prévoir les effets de l'oestrogène aussi facilement que ceux de la testostérone.

Comme nous l'avons souligné plus tôt, le système immunitaire de la femme fonctionne plus efficacement (à cause du chromosome XX) que celui de l'homme. Cependant, il faut considérer certains effets négatifs. Le système immunitaire de la femme est si efficace qu'il attaque parfois le corps qu'il est chargé de protéger. Un plus grand nombre de femmes que d'hommes souffrent de maladies qui affectent le système immunitaire (sclérose en plaques, diabète juvénile, arthrite rhumatismale et maladie de Graves).

Le lupus érythémateux disséminé affecte environ 500 000 personnes aux États-Unis, dont 450 000 femmes. Selon les chercheurs, la maladie est souvent difficile à diagnostiquer, car certains des symptômes (dépression, névrose obsessionnelle, ou schizophrénie) sont souvent injustement attribués à des problèmes d'ordre psychologique.

La nature protège les femmes afin de leur permettre d'avoir des enfants, qu'elles en désirent personnellement ou non. Les hommes sont programmés génétiquement pour chasser et chercher à avoir des relations sexuelles, qu'ils chassent ou non personnellement ou qu'ils recherchent les plaisirs sexuels ou pas. L'oestrogène et la progestérone donnent aux femmes un certain «éclat», une certaine assurance, et leur permettent de se préparer à procréer. La testostérone crée une certaine assurance chez les hommes et les pourvoit de l'instinct combatif nécessaire pour poursuivre leur proie.

Pour évaluer les effets des hormones, on a observé 42 enfants issus de mères auxquelles on avait injecté des hormones stéroïdes durant la grossesse. Chacun des enfants avait une soeur ou un frère qui n'avait pas été exposé aux hormones, et on a pu utiliser ces cas témoins comme éléments de comparaison. Les chercheurs ont découvert que les deux groupes manifestaient des traits de personnalité considérablement différents. En effet, les enfants qu'on avait exposés aux progestatifs (qui agissent de la même façon que les hormones mâles) ont obtenu un résultat plus élevé, sur le plan des traits considérés masculins, que leur frère ou leur soeur du même sexe. Autrement dit, ils étaient plus indépendants, plus individualistes, plus sûrs d'eux-mêmes et plus autonomes. Les enfants qu'on avait exposés aux oestrogènes, en particulier au diethylstilboestrol synthétique (DES), ont obtenu un résultat supérieur quant aux caractéristiques féminines. En effet, ces enfants se souciaient beaucoup des membres du groupe et s'intéressaient surtout aux relations et à tout ce qui concerne l'aspect communication.

Cette recherche confirme le principe selon lequel un grand nombre de différences qui nous caractérisent au plan de la perception, de la cognition et de la personnalité dépendent de notre appartenance sexuelle et résultent de différences biologiques qui semblent, à prime abord, plutôt mineures.

June Reinisch, psychologue-biologiste du développement, a étudié le cas de 4 653 enfants et a découvert que la durée de la grossesse influence de façon significative la précocité des enfants pour s'asseoir, ramper et se tenir debout. Elle a découvert aussi que les garçons et les filles atteignent généralement ces stades à différents moments. Ces domaines du développement du jeune enfant correspondent aux caractéristiques qu'on associe normalement aux adultes de sexe masculin et de sexe féminin.

Par exemple, les petites filles commencent à s'asseoir sans appui plus tôt que les garçons, mais mettent ensuite plus de temps qu'eux à se tenir debout sans aide. Les garçons commencent à ramper plus tôt que les filles, mais mettent ensuite plus de temps qu'elles à marcher sans appui. Il est possible que la capacité de s'asseoir permette aux petites filles de communiquer plus facilement entre elles et que le fait de ramper permette aux petits garçons de s'éloigner et de se montrer plus indépendants. D'une certaine façon, le petit garçon «chasse» déjà, pendant que la petite fille «se socialise».

Au début des années 1970, les psychologues Eleanor Maccoby et Carol Jacklin, recherchant des distinctions dans le comportement sexuel, ont analysé certaines études et découvert une différence marquée de l'agressivité entre les garçons et les filles. En effet, dans toutes les cultures, les garçons étaient physiquement plus agressifs que les filles. Les données révélèrent aussi que les garçons étaient plus portés que les filles à s'imaginer en train de réagir aux conflits en manifestant une certaine agressivité physique.

Selon certaines études, les filles exposées aux hormones «masculinisantes» avant la naissance (dans l'utérus) agissaient plus souvent comme des garçons à bien des égards. Mais les chercheurs ont découvert, à leur grand étonnement, que ces hormones avaient des effets encore plus intenses chez les garçons. En se basant sur des études faites sur des animaux, les chercheurs ont présumé que les hormones «masculinisantes», combinées aux hormones que produisait normalement le foetus mâle, n'influenceraient pas son comportement. Cependant, les études en question laissaient entendre que, si une plus grande quantité de ces hormones atteignait le cerveau des garçons avant leur naissance, les différences existant entre eux et les filles seraient encore plus prononcées.

Certaines études portant sur des singes ont démontré que le taux de testostérone des mâles dominants était plus élevé que celui des autres singes et qu'ils avaient une vie sexuelle plus active.

À en croire certains témoignages, le bonheur que ressentent les hommes à atteindre un poste supérieur par leurs propres moyens s'accompagne d'une élévation de leurs taux hormonaux. On a détecté chez les hommes dominants un taux de testostérone élevé, en plus d'un taux supérieur de prolactine (hormone de stress) révélant une aggravation de leur anxiété. L'effet de l'augmentation simultanée de ces deux hormones rappelle ce qui se passe lorsqu'on appuie à la fois sur l'accélérateur et les freins d'une voiture, car on croit que la prolactine inhibe la prédominance sexuelle attribuable à la testostérone.

Ces témoignages indiquent aussi que le fait d'occuper les échelons supérieurs de la société crée, en plus d'un sentiment de dominance (accompagné de modifications hormonales) inspiré par la réussite, un sentiment d'anxiété relié aux craintes que ressent l'individu à l'idée de pouvoir conserver ou non sa place de choix. Le changement du taux de la prolactine indique une modification de l'anxiété, qui se produit que l'homme s'en aperçoive ou non.

«L'homme donne son amour pour obtenir des faveurs sexuelles, et la femme accorde ses faveurs sexuelles pour être aimée.» Cette affirmation comporte un élément de vérité à cause de notre structure et de notre évolution génétiques.

RÉSUMÉ DES DIFFÉRENCES BIOLOGIQUES

Femme	Homme
Pilosité moins prononcée	Nombre moins élevé de terminaisons nerveuses
La peau se meurtrit plus facilement	Peau plus épaisse
Problèmes de perception des couleurs chez 0,5 p. cent des femmes	Problèmes de perception des couleurs chez 8 p. cent des hommes
Vision nocturne supérieure	Vision diurne supérieure
Glandes sudoripares distribuées plus uniformément	Poumons plus gros
Articulations plus souples	Articulations plus resserrées
Os plus légers	Crâne plus épais
Mains plus petites, pouces plus faibles	Taille plus grande de 10 p. cent
23 p. cent muscle	40 p. cent muscle
25 p. cent gras	15 p. cent gras
Dépense moins de calories.	Force des bras de 50 p. cent plus grande
Couche adipeuse plus uniforme	Flotte moins facilement.
Rides plus précoces	Cheveux plus rudes
Meilleure oxygénation du cerveau	Incidence supérieure de troubles d'apprentissage
S'assoit, rampe, marche et parle plus tôt.	Système immunitaire plus faible
Bébés moins agités, qui sourient plus souvent, mangent moins et maîtrisent leur vessie plus tôt.	Nombre supérieur d'avortements spontanés, de bébés morts-nés ou aveugles
Cerveau renfermant jusqu'à 40 p. cent plus de connecteurs.	Taux de mortalité de 30 p. cent plus élevé au cours des trois premiers mois
Corps calleux (partie du cerveau) plus grand	75 p. cent des enfants atteints de dyslexie sont des garçons.
Les talents spatiaux se développent à 13 ans.	Les talents spatiaux se développent à 6 ans.
À 60 ans, possède 90 p. cent de la force et de la souplesse de ses 20 ans.	À 60 ans, possède 50 p. cent de la force et de la souplesse de ses 20 ans.
Plus sensible à l'alcool	90 p. cent de ceux qu'on déclare hyperactifs sont des hommes.
Partie inférieure du cerveau plus grande (émotions)	Crâne plus grand à la base et plus petit au sommet
Développement cellulaire plus avancé de l'hémisphère gauche (de la parole) à l'âge de 4 ans	

Puisque les femmes, à l'instar des femelles de la plupart des espèces, se consacrent assez intensément à la production d'un enfant et à sa survie (et parce que les mâles arrivent parfois à s'en tirer sans trop s'y engager), elles voient les relations sexuelles et la reproduction d'une toute autre façon que les hommes. Nous avons évolué ensemble en tant qu'espèce, mais les besoins et les tendances sexuelles qui se sont révélés efficaces au point de vue reproduction pour les individus d'un même sexe, se sont probablement révélés désastreux pour l'autre.

En deux secondes, l'homme peut produire un plus grand nombre de cellules reproductrices que la femme, en toute une vie. (De plus, il peut le faire plusieurs fois par jour.) On peut expliquer pourquoi les femmes ont tendance à épouser des hommes plus âgés en soulignant le fait que même si les hommes jeunes peuvent plus fréquemment avoir des relations sexuelles que les hommes âgés, ceux-ci peuvent produire une quantité suffisante de spermatozoïdes actifs pour se reproduire, tout en offrant, du moins en apparence, une meilleure stabilité et une plus grande protection aux enfants. À mesure que les femmes deviennent plus indépendantes (plus autonomes financièrement et moins accaparées par l'éducation des enfants), leurs critères de sélection d'un partenaire changent. Elles peuvent choisir des hommes plus jeunes, susceptibles d'investir plus d'énergie dans la relation, de faire preuve d'une plus grande souplesse (les hommes plus âgés ont tendance à s'ancrer dans leurs habitudes), et d'être physiquement plus compatibles sur le plan de l'endurance (pas seulement au point de vue sexuel, mais aussi en ce qui a trait à l'exercice, au travail et aux loisirs).

La femme manifeste souvent une excitation physiologique en regardant des films érotiques ou en écoutant des cassettes du même genre. Cependant, elle ne ressent pas toujours de désir sexuel au même moment que l'homme. En effet, il existe chez la femme un décalage entre la réaction de son corps et la partie consciente de son cerveau. La nature l'aide ainsi à se protéger des décisions hâtives qui pourraient entraîner une grossesse.

Cela ne signifie pas qu'elle ne peut pas se sentir attirée instantanément par un homme, ni qu'elle ne le devrait pas. Cela ne signifie pas non plus qu'elle ne peut pas rechercher un certain nombre d'amants, ni qu'elle ne le devrait pas. Cela signifie simplement qu'il est possible que l'attirance (ou la répulsion) qu'elle éprouve ne soit pas entièrement physique. Il se peut qu'elle réagisse à l'effet du conditionnement découlant de l'évolution destiné à la protéger. Mais pour l'homme, tout ceci est loin d'être évident.

Un certain nombre d'études ont révélé que la femme est moins sujette à l'orgasme au cours d'une relation d'un soir que lorsqu'elle vit une relation stable et de longue durée.

Les hormones de réglage (LH et FSH) déterminent les pulsions sexuelles de l'homme et de la femme. Ces hormones sont constamment présentes dans le corps de l'homme et leur niveau peut augmenter et diminuer plusieurs fois par jour. Chez la femme, les niveaux hormonaux synchronisent les cycles ovulatoire et menstruel. Ces hormones n'agissent à l'unisson qu'au moment de l'ovulation, pour préparer la femme à avoir une relation sexuelle (rehaussant aussi son sens de la vue, du goûter, et de l'odorat). Les phéromones (messages olfactifs) circulent jusqu'à l'hypothalamus et jusqu'aux autres parties du cerveau ayant un rôle connu à jouer dans la relation sexuelle. Au cours de la puberté, les glandes apocrines, situées dans les seins, sous les bras et dans la peau pubienne, éveillent les sentiments et l'attirance réciproques de l'homme et de la femme, même s'ils ne détectent aucun parfum ni aucune odeur.

Les pulsions sexuelles de l'homme augmentent de façon importante après la puberté, pour atteindre leur sommet avant qu'il n'atteigne ses 20 ans. L'homme parvient à sa pleine maturité reproductrice entre 19 et 24 ans. À partir de ce moment-là, ses pulsions sexuelles diminuent progressivement, pour s'estomper complètement, en général, vers l'âge de 70 ans. Les pulsions de la femme augmentent très lentement après la puberté. Elle n'atteint son apogée sexuelle que vers l'âge de 28 ans, et s'y maintient jusqu'à ce qu'elle ait environ 45 ans, âge où s'amorce une lente descente.

Pour la femme, l'orgasme est possible, mais non nécessaire à la fécondation. Mais il l'est pour l'homme! Chez la femme, l'orgasme n'est pas un phénomène universellement connu. Dans un certain nombre de sociétés, on ne dispose d'aucun mot pour décrire l'orgasme de la femme : on ne s'attend pas qu'elle l'atteigne. Aux États-Unis, de 5 à 10 p. cent des femmes n'ont jamais d'orgasme, et de 30 à 40 p. cent des autres femmes ne l'atteignent qu'à l'occasion.

Pour l'homme, le plaisir que procure l'orgasme est relié à son instinct de reproduction. Une fois qu'il a atteint l'orgasme, ses pulsions biologiques sont satisfaites. L'homme plus âgé et plus mûr est habituellement plus apte à prolonger le plaisir, augmentant ainsi la stimulation et la satisfaction de sa partenaire.

Selon le *Rapport Hite*, lorsqu'on demande aux femmes d'identifier ce qui leur plaît le plus dans une relation sexuelle, un nombre étonnant d'entre elles avouent préférer l'affection, l'intimité et l'amour à l'orgasme. De plus, la plupart affirment que la sensation physique qu'elles préfèrent se produit au moment de la pénétration.

La femme étant plus directement engagée que l'homme en ce qui a trait aux conséquences des relations sexuelles, elle investit davantage de temps et d'énergie pour maintenir une relation durable. De plus, il lui est très important de prendre des décisions concernant la contraception et la grossesse. Avoir soin des enfants, les éduquer et assurer leur survie exige un engagement à long terme, la femme connaît toujours l'identité de la mère (puisqu'il s'agit d'elle-même) et elle peut habituellement déterminer l'identité du père. Le père doit alors subvenir aux besoins de la mère, s'il veut qu'elle lui reste fidèle et s'il veut s'assurer une progéniture.

Dans le chapitre suivant, nous soulignerons certaines différences entre le fonctionnement du cerveau de l'homme et celui de la femme.

RÉSUMÉ DU CHAPITRE

Lorsqu'on tente d'expliquer les comportements culturels, sociaux ou émotionnels de l'homme et de la femme, on oublie parfois de tenir compte de leurs différences biologiques.

Les jeunes enfants se créent des mondes masculins et féminins respectifs afin de s'identifier aux personnes de leur sexe.

Même les sociétés isolées manifestent des comportements masculins et féminins caractéristiques.

Certaines études laissent entendre que l'homme et la femme ont instinctivement besoin de s'identifier personnellement à un sexe ou à l'autre.

Une fois que nous connaîtrons nos *fondements biologiques*, nous pourrons réorienter nos vies plus facilement.

La communication entre l'homme et la femme est un processus complexe que rendent encore plus difficile les suppositions erronées.

6

LE CERVEAU, INTERPRÈTE DE NOTRE EXPÉRIENCE

Roger Gorski, spécialiste du cerveau et du système neurologique, a dit, lors d'une entrevue effectuée dans le cadre de *Films for the Humanities*, qu'il avait examiné des centaines de cerveaux et que, jusqu'à ce qu'il soit amené à comparer le cerveau de l'homme et celui de la femme, il n'avait jamais cherché ce qui les distinguait. Par exemple, il souligna que l'hypothalamus de l'homme est cinq fois plus gros que celui de la femme. Depuis ce temps, le nombre de différences entre le cerveau de l'homme et celui de la femme ne cesse de l'étonner.

Le cerveau est la partie la plus complexe et la plus perfectionnée du corps humain. Nombre de scientifiques attribuent aujourd'hui le développement de la conscience humaine

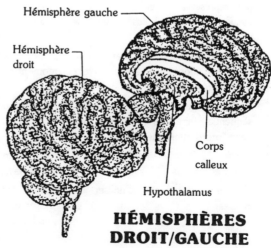

Hémisphère gauche

Hémisphère droit

Corps calleux

Hypothalamus

HÉMISPHÈRES DROIT/GAUCHE

au développement et à l'évolution du corps calleux, masse blanche formée de fibres transversales reliant les hémisphères cérébraux chez les mammifères des classes supérieures. Quand la
communication entre les deux moitiés du cerveau s'est établie par
l'entremise des minuscules groupes de nerfs et de fibres, la conscience a émergé.

Le cerveau des mammifères mâles et celui des femelles ne
sont pas pareils, ni du point de vue anatomique, ni du point de
vue des connections entre les neurones. Certaines études récentes sur le cerveau appuient cette hypothèse.

COMPARAISON DE L'HÉMISPHÈRE GAUCHE ET DE L'HÉMISPHÈRE DROIT

La liste suivante énumère les fonctions du cerveau généralement reconnues. Note :
Les recherches, dans ce domaine, sont toujours sommaires. De plus, certains
témoignages démontrent que cette analyse n'est pas tout à fait exacte, et qu'elle
ne tient pas compte des différences significatives entre les hémisphères gauche
et droit chez l'homme et la femme.

Hémisphère gauche	Hémisphère droit
Verbal : utilisation de mots pour nommer, décrire et définir des objets	Non verbal : conscience des choses, mais peu de liens avec les mots
Analytique : déterminer les choses, étape par étape, et une seule à la fois	Synthétique : rassembler les idées pour former des concepts
Symbolique : utilisation de symboles pour représenter une chose. Par exemple, le signe «X» sert à illustrer une multiplication.	Analogique : reconnaître la similarité des choses; comprendre les métaphores
Abstrait : capacité de comprendre une parcelle d'information et de l'utiliser pour représenter le concept en entier	Concret : établir un rapport avec le moment présent
Temporel : garder la trace du temps; séquentiel, faire une chose à la fois, dans l'ordre approprié	Non temporel : aucun sens du temps
Rationnel : détermination fondée sur la raison et les faits	Non rationnel : détermination fondée ni sur les faits, ni sur la raison
Numérique : capacité d'utiliser les chiffres	Spatial : connaître les relations entre les choses et comprendre comment tout s'emboîte.

Logique : conclusions fondées sur la logique; une chose suivant l'autre en ordre logique	Intuitif : compréhension souvent basée sur des informations incomplètes, sur l'intuition, les sentiments ou les images
Linéaire : penser en termes d'associations d'idées; une pensée en suivant directement une autre	Holistique : avoir une vue d'ensemble; percevoir les structures et les modèles globaux

Le corps calleux de la femme est d'au moins 40 p. cent plus volumineux que celui de l'homme. Les chercheurs étudiant le cerveau émettent maintenant l'hypothèse que plus le corps calleux est volumineux, plus la communication se fait facilement entre les hémisphères droit et gauche. Pour saisir l'importance de cette découverte, il faut comprendre comment le cerveau est divisé au point de vue de ses capacités.

LA MUSIQUE DES HÉMISPHÈRES

Chez l'homme, les fonctions du cerveau assurées par l'hémisphère gauche ont tendance à se manifester davantage. L'homme utilise principalement le côté gauche du cerveau, siège de la logique, du raisonnement et de la pensée rationnelle. Le côté droit du cerveau est responsable des idées abstraites, de la communication, des relations, et de la vision holistique des choses. L'homme a tendance à exceller en mathématiques car il peut «voir» les relations abstraites (mode gauche) beaucoup mieux. Les fonctions gouvernées par le côté droit du cerveau sont aussi accessibles à l'homme : par exemple, il est plus susceptible que la femme d'exceller au baseball car il peut mieux percevoir la relation spatiale entre la balle et le bâton. L'homme parvient mieux à lire les cartes géographiques que la femme, car il arrive plus facilement qu'elle à établir un rapport entre les points repères de la carte et son environnement. De plus, l'homme arrive habituellement à garer la voiture plus facilement que la femme grâce à ses aptitudes géométriques.

Par contre, comme la communication entre l'hémisphère gauche (verbal) du cerveau de la femme et l'hémisphère droit (spatial) est de 40 p. cent plus intense que chez l'homme, elle arrive mieux que lui à synchroniser les «pensées des hémisphères gauche et droit». La femme fait aussi preuve de grands talents reliés au côté droit du cerveau, comme la facilité d'expression et d'apprentissage. Elle a tendance à mieux s'exprimer et à apprendre les langues étrangères plus facilement que l'homme. Elle arrive aussi à mieux exprimer ses sentiments verbalement, et elle le fait plus souvent que l'homme.

Dans le cadre d'une étude effectuée par Sandra Witelson, neuropsychologue, on a bandé les yeux d'un groupe d'enfants normaux et droitiers composé de deux cent garçons et filles âgés de six à quatorze ans, et on a demandé à chacun d'eux de tenir deux objets : un de la main gauche et l'autre de la main droite. On leur a ensuite ôté ces objets, et on les a mélangés à d'autres objets semblables. On a retiré ensuite les bandeaux, puis on a demandé aux enfants d'identifier les objets qu'ils avaient tenus. Comme l'information sensorielle de la main gauche est acheminée à l'hémisphère droit du cerveau (et vice versa) et puisque l'hémisphère droit est le siège des talents spatiaux, comme on le sait, on s'attendit à ce que les enfants aient plus de facilité à identifier les objets qu'ils avaient tenus de la main gauche. Les garçons réagirent comme prévu, identifiant plus exactement les objets qu'ils avaient tenus de la main gauche. Les filles, cependant, purent identifier aussi bien les objets qu'elles avaient tenus de la main gauche que ceux qu'elles avaient tenus de la main droite. Apparemment, l'hémisphère gauche transmet l'information beaucoup plus efficacement chez les filles que chez les garçons.

En ce qui a trait à la capacité de s'exprimer et de coordonner ses mouvements, le cerveau de la femme semble généralement mieux structuré que celui de l'homme. Ceci explique peut-être pourquoi les filles s'expriment habituellement mieux que les garçons, ont une meilleure prononciation et coordonnent mieux leurs mouvements. (Le nombre de femmes droitières est supérieur au nombre d'hommes droitiers.) Cependant, en ce qui a trait aux tâches abstraites, comme définir les mots, par exemple, le cerveau de la femme n'est pas aussi bien organisé que celui de l'homme.

Que le corps calleux de la femme soit plus volumineux que celui de l'homme indique qu'elle possède un plus grand nombre de réseaux permettant une meilleure communication entre les hémisphères gauche et droit. Ceci indique aussi que l'homme et la femme utilisent le même hémisphère dans des buts différents. Le corps calleux très développé de la femme lui permet de mieux intégrer raison et intuition et de trouver harmonie et équilibre.

L'hémisphère droit de l'homme lui confère des aptitudes géométriques. Il peut, par exemple, illustrer sous tous leurs angles des figures géométriques qu'il imagine en train de pivoter. Ce même hémisphère permet à la femme de comprendre les émotions plus facilement que l'homme et d'interpréter les expressions du visage mieux que lui.

LES ASPECTS POSITIFS ET NÉGATIFS DU CERVEAU

Au cours de ses recherches, Doreen Kimura, qui a étudié le cas de 100 000 jeunes enfants surdoués, a tenté d'établir un rapport entre la façon dont ils avaient été élevés et leurs aptitudes mathématiques. Elle n'a rien découvert qui puisse appuyer les différentes hypothèses de socialisation. Cependant, les chercheurs ont été en mesure de fournir une explication biologique.

En effet, la plupart des gens doivent probablement à l'influence de l'hémisphère droit leurs aptitudes en ce qui a trait au raisonnement mathématique. De plus, comme les gauchers sont plus particulièrement doués pour les tâches reliées à l'hémisphère droit, les chercheurs formulèrent l'hypothèse que les gauchers seraient plus doués pour le raisonnement mathématique. Tel qu'il avait été prévu, la plupart des adolescents ayant eu des résultats extrêmement élevés aux tests mathématiques étaient gauchers.

Comme je l'ai déjà souligné, certaines études ont attribué la gaucherie et les troubles immunitaires à un taux élevé de testostérone. Elles ont aussi révélé que les différences entre les deux sexes sur le plan des aptitudes de raisonnement mathématique peuvent, elles aussi, être reliées à l'exposition du foetus à la testostérone. Le cerveau (comme tout le corps) est formé par les hormones sexuelles. On peut détecter des différences dans la structure du cerveau des foetus dès la vingt-sixième semaine de grossesse.

Certaines endorphines (éléments chimiques produits et libérés dans le cerveau) permettent au corps de réagir au stress, aux situations où il faut «combattre ou battre en retraite», et à l'activité sexuelle. Certaines endorphines qu'on trouve chez l'homme n'existent pas chez la femme, et vice versa. L'effet des éléments chimiques reliés au sexe est un domaine scientifique en pleine évolution, que nous sommes encore loin de comprendre parfaitement.

On retrouve généralement une plus grande quantité de sérotonine (élément chimique) chez la femme, et une quantité supérieure de dopamine chez l'homme. On diagnostique la «dépression» plus souvent chez la femme que chez l'homme, et on l'attribue au taux élevé de sérotonine. D'un autre côté, on diagnostique la schizophrénie plus souvent chez l'homme, et on impute cette maladie au taux élevé de dopamine.

Ce sont les hommes qui commettent presque tous les crimes violents contre la société. Il semble que la personnalité antisociale de la plupart des criminels résulte du mauvais fonctionnement de l'hémisphère gauche du cerveau. (Le seul traitement qui semble corriger ou apaiser ces troubles de comportement est la médication et non la psychothérapie.)

La *Second International Science Study* de 1970 a évalué les connaissances scientifiques des étudiants de cinquième, neuvième et douzième année et on a comparé leurs résultats à ceux des étudiants de 24 autres pays, de même qu'à ceux d'autres étudiants des États-Unis. Les différences entre les résultats des garçons et ceux des filles étaient plus évidentes dans les sciences physiques. Par exemple, les garçons de cinquième année de tous les pays ont obtenu de meilleurs résultats que les filles lorsqu'on leur a demandé de placer correctement les piles dans une lampe de poche, et d'expliquer pourquoi une balle qu'on lance retombe.

On peut aussi expliquer certaines inaptitudes par les différences caractérisant les hémisphères. Ainsi, les enfants autistiques, dyslexiques et doués en mathématiques sont habituellement de sexe masculin, gauchers et sujets aux troubles immunitaires, incluant les allergies. Nous traitons des filles échappant à cette règle au chapitre 4.

À partir de découvertes récentes, on a émis l'hypothèse selon laquelle l'hormone mâle appelée testostérone créerait des cas extrêmes de dominance de l'hémisphère droit chez les enfants dyslexiques, en retardant, on ne sait trop comment, le développement de l'hémisphère gauche. Une découverte, rapportée dans *The Sexual Brain,* vient appuyer cette thèse. On y affirme que deux groupes de femmes auxquelles on avait administré des hormones mâles ont manifesté un changement dans les talents reliés à l'hémisphère droit. Les filles dont la mère avait reçu le médicament appelé diethylstilbestrol au cours de la grossesse, et les femmes dont l'organisme produisait une quantité excessive d'hormones mâles, possédaient plus d'aptitudes sur les plans visuel et géométrique qu'au niveau du langage.

Comme l'affirme Diane McGuinness, neuropsychologue, dans son livre *When Children Don't Learn : Understanding the Biology and Psychology of Learning Disabilities,* il n'existe pas vraiment de troubles d'apprentissage. Ce que nous appelons communément la dyslexie (difficulté dans l'apprentissage de la lecture) n'est pas vraiment un trouble. Diane McGuinness croit, en effet, que cette affection est causée par l'importance qu'accorde la société à l'alphabétisation, imposant souvent des règles dictées par un système éducatif traitant tous les enfants de la même façon, sans tenir compte du sexe auquel ils appartiennent ni de leurs capacités individuelles. Plus de 75 p. cent des enfants atteints de dyslexie sont des garçons. En établissant deux barèmes différents, un pour les garçons et un pour les filles, Diane McGuinness estime que, du jour au lendemain, on pourrait classer 10 p. cent des garçons (des millions) parmi les enfants dont le niveau de lecture est normal, compte tenu du groupe d'âge et du sexe auxquels ils appartiennent.

En étant trop sélectif, le système éducatif ne permet pas aux talents individuels de se développer. Il en va de même, particulièrement au niveau de la lecture et des aptitudes mathématiques. Mme McGuinness affirme que nous sommes facilement tolérants face aux résultats des enfants quand il s'agit de sport et de musique, mais que nous ne le sommes pas assez quand il s'agit de la lecture et des mathématiques.

On croit généralement que les filles souffrent de la «phobie des maths». Mme McGuinness affirme que si les filles obtiennent des résultats inférieurs à ceux des garçons vers la septième année scolaire, ce n'est pas à cause d'une société qui les empêche de progresser. Elle souligne plutôt que lorsque l'hémisphère gauche (dominance mâle) du cerveau est utilisé pour comprendre les concepts de l'algèbre et de la géométrie, les filles commencent à éprouver un plus grand nombre de difficultés.

Quant à l'hyperactivité se manifestant dans la classe (90 p. cent des cas diagnostiqués concernent des garçons), Mme McGuinness affirme qu'il existe un problème de définition quant à ce qui représente un comportement normal pour chacun des deux sexes. On peut considérer qu'un garçon est hyperactif parce qu'il se comporte de façon irritante, mais seulement si on le compare à une fille du même groupe d'âge.

Il devient évident qu'en examinant la façon dont notre système éducatif peut s'appliquer à nos enfants, nous devons tenir compte de tous les facteurs hormonaux, de la localisation des hémisphères cérébraux, de la génétique, du régime alimentaire, etc., avant de pouvoir évaluer correctement les possibilités d'un enfant. En fait, en cataloguant les désordres, nous augmentons peut-être le sentiment d'échec et d'incapacité de l'enfant, en plus de blesser son amour-propre.

RÉSUMÉ DU CHAPITRE

Le cerveau est la partie du corps la plus complexe et la plus perfectionnée.

Quand les deux moitiés du cerveau ont commencé à communiquer entre elles par l'entremise de minuscules groupes de nerfs et de fibres, la conscience a émergé.

Le volume du corps calleux de la femme est de 40 p. cent plus élevé que celui de l'homme.

L'homme utilise principalement l'hémisphère gauche de son cerveau, siège de la logique, du raisonnement et de la pensée rationnelle.

La femme possède des aptitudes supérieures reliées à l'hémisphère droit, comme la facilité d'expression et la compréhension.

L'homme et la femme peuvent utiliser le même hémisphère à des fins différentes.

Le cerveau (comme tout le corps) est formé par les hormones sexuelles.

On détecte des différences dans la structure du cerveau des foetus dès la vingt-sixième semaine de grossesse.

On retrouve, chez l'homme, certaines endorphines (éléments chimiques produits et libérés dans le cerveau) qu'on ne retrouve pas chez la femme, et vice versa.

Ce sont les hommes qui commettent la plupart des crimes violents contre la société.

On peut expliquer certaines inaptitudes par les différences caractérisant les hémisphères cérébraux.

La majorité (75 p. cent) des cas de dyslexie infantile affectent les garçons.

La plupart des enfants souffrant de la «phobie des maths» sont des filles.

7

DIFFÉRENTS MODES DE PERCEPTION

J'ai créé un modèle très simple pour décrire l'éventail de nos perceptions en tant qu'êtres humains. Je l'emploie pour identifier immédiatement les comportements, un peu comme un cadre sert à «soutenir» une photo. Pour la plupart des hommes et des femmes, ce modèle général donne un aperçu de la façon dont la réalité peut être perçue. Je crois que le nombre de personnes pouvant appartenir à la catégorie androgyne est restreint, soit moins de 10 p. cent de la population.

Comme l'indique le modèle, l'homme est doté principalement de deux modes de perception : physique et intellectuel. La femme en possède quatre : physique, intellectuel, émotionnel et spirituel. On utilise les définitions de ces modes pour identifier les différents comportements.

Je définis le mode *physique* comme la réalité objective, ce qu'on peut percevoir par l'entremise des cinq sens, faits ou objets que l'on peut mesurer. Je définis le mode *intellectuel* comme la pensée, l'imagination, la cognition, les attitudes et le discernement. Plus loin, dans ce chapitre, nous examinerons les modes émotionnel et spirituel.

MODES DE PERCEPTION

Modes masculins

Physique
Intellectuel

Modes féminins

Physique	Intellectuel
Émotionnel	Spirituel

MODES PHYSIQUE ET INTELLECTUEL

L'homme réagit au monde qui l'entoure par l'entremise des modes physique et intellectuel. (Cette description s'applique aussi aux femmes qui utilisent ces deux modes seulement.) L'esprit perçoit l'orientation de l'homme, et celui-ci l'exprime avec son corps. L'homme «parle» un langage physique, et, s'il est instruit, il «parle» un langage intellectuel. Comme nous l'avons souligné dans la section traitant du développement au cours de la petite enfance, les bébés de sexe masculin réagissent à la réalité objective. Lorsque les petits garçons et les petites filles se servent de crayons de couleur, les garçons dessinent des objets, tandis que les filles dessinent des personnages. À mesure que l'intellect du garçon se développe, le besoin de s'exprimer physiquement diminue. Ainsi, l'homme «intelligent» cherche à remédier aux problèmes et au stress par le raisonnement, tandis que l'homme moins instruit aura recours aux démonstrations physiques pour communiquer. L'esprit rationnel de l'homme intelligent peut lui nuire lorsque ses ressources sont épuisées. Son esprit percevra alors tout comportement comme une menace, et tant qu'il ne pourra trouver une solution intellectuelle (psychologique) au problème, il s'en remettra immédiatement au mode physique des émotions. L'homme interprète d'abord la réalité physique, puis la traduit immédiatement pour l'esprit. L'esprit peut ensuite résoudre le problème si la solution fait partie des paramètres de l'intellect. L'intelligence de l'homme de même que le temps et l'énergie qu'il consacre à la recherche d'une solution détermineront la rapidité avec laquelle il se tournera vers le mode physique pour résoudre le problème. N'oublions pas que l'homme interprète toute communication, issue d'hommes et de femmes, par l'entremise des modes physique et intellectuel. Il tentera de régler une situation ou de résoudre un problème intellectuellement. S'il échoue, il s'en remettra à une solution physique. L'homme donne des indices et des signaux lorsqu'il passe du mode intellectuel au mode physique, et il présume que la femme en connaît au moins quelques-uns.

Voici quelques-uns de ces signaux : regard fixe, accélération du rythme respiratoire, poussée de sang aux muscles, faible poussée d'adrénaline, voix plus forte (jappements, grognements), position debout (grandir l'image physique pour se donner un air légèrement menaçant), et accentuation de l'expression par un geste (pointer du doigt ou frapper sur la table). Il s'agit là de signaux indiquant que l'homme s'apprête à passer du mode intellectuel au mode physique. Cette affirmation peut sembler un peu exagérée, mais en étudiant le comportement de l'homme, nous pouvons facilement percevoir les changements qui se produisent lorsqu'il passe du mode intellectuel au mode physique. «Chercher la bagarre» signifie qu'une personne passe des menaces intellectuelles à la volonté de se battre. Ce transfert peut se produire instantanément ou ne jamais avoir lieu, selon l'intelligence des personnes concernées. Il est possible de modifier les comportements au moment de passer aux actes. La capacité d'identifier ce moment permet de se ressaisir et de réagir convenablement.

Si un homme est «intellectuel», ses émotions sont ressenties au niveau de la pensée. S'il réagit plutôt au mode physique, ses émotions se situent au plan corporel. La femme vit ses émotions d'une manière tout à fait différente de celle de l'homme. En effet, l'homme interprète tout par l'entremise de ses deux modes de perception. L'homme a des pensées tristes ou des pensées heureuses (intellect). Il exprime ses sentiments avec son corps (physique).

Nous ne devrions pas nous étonner que, lorsque la femme parle d'émotions à l'homme, celui-ci présume qu'elle parle en fait de «penser» et de «ressentir». L'homme ne sait pas si une chose est réelle ou non tant qu'elle ne se concrétise pas (réalité objective). L'homme peut planifier et continuer de le faire, mais avant que ses projets ne se matérialisent, tous ses plans ne veulent rien dire à ses yeux. Par exemple :

Elle : «Ne serait-il pas agréable d'acheter une nouvelle maison?»

Lui : «Mais tu sais que ce n'est pas le moment d'acheter. Les taux d'intérêt sont élevés.»

Elle : «Oui, mais n'est-ce pas une bonne idée?»

Lui : «Non, ce n'est pas une bonne idée à cause des taux d'intérêt et... (il lui dresse alors une liste de raisons)! Quand nous aurons assez d'argent et assez de temps, nous en discuterons.»

Elle : «C'est *toujours*... (vous pouvez compléter sa phrase)...»

Pourquoi cette conversation se répète-t-elle si souvent à propos de mille et un sujets? Cette situation existe parce que l'homme ramène au niveau physique («Je parle vraiment d'acheter une nouvelle maison et nous devons agir tout de suite!») tout ce que dit la femme au niveau intellectuel («C'est juste une bonne idée et je ne veux qu'en discuter»). Il se demande alors pourquoi elle parle maintenant d'acheter une nouvelle maison, alors qu'elle ne désire pas en acheter une pour l'instant.

Lorsqu'elle dit : «Nous pouvons en discuter seulement», il pense, dit ou aimerait dire : «Bon, je n'aime pas en parler sans but. Pourquoi en parler? La seule raison pour laquelle tu veux discuter de choses inutiles est que tu y prends plaisir. Et pour te satisfaire ou te plaire, je devrais m'abaisser à parler de "sottises".»

PASSER D'UN MODE À L'AUTRE

Passer du mode intellectuel au mode physique n'est pas nécessairement une transition négative, car c'est ainsi que les êtres humains obtiennent des résultats concrets. De façon créative, l'homme examine des projets, les planifie, les prépare et les conçoit. Une fois que l'intellect a accompli sa tâche, l'homme passe instinctivement et naturellement au mode physique, sans se rendre compte, habituellement, qu'il passe d'un mode à l'autre.

L'homme présume à tort que la femme n'utilise, elle aussi, que les modes de perception intellectuel et physique. Cette hypothèse amène l'homme à mal interpréter les signaux féminins émis en modes émotionnel et spirituel, car il traduit tout automatiquement, selon ses propres modes de perception intellectuel ou physique.

LES MODES ÉMOTIONNEL ET SPIRITUEL

L'homme ne décrit pas facilement les modes émotionnel et spirituel car il n'y a habituellement pas accès. Je définis les modes émotionnel et spirituel comme des modes de perception se situant au-delà de l'objectivité, du langage physique et de la compréhension intellectuelle.

En décrivant une émotion, l'homme désigne habituellement une partie de son corps. Il pointera sa tête du doigt (intellectuel-spirituel), son coeur (émotionnel-spirituel) ou son estomac (émotionnel-physique). La façon dont il interprète intellectuellement «l'émotion» consiste à se souvenir de sentiments ou à les imaginer. D'après moi, la femme, en plus de ressentir les émotions comme l'homme, vit directement des émotions qui ne sont ni physiques ni intellectuelles. Ce fait trouble l'homme, car il présume que la femme pourrait ou devrait communiquer ses sentiments par l'entremise de ces deux modes.

JE RESSENS TOUT SIMPLEMENT UNE ÉMOTION

Il arrive parfois que la femme *ait* tout simplement des émotions. Elle peut, en effet, en ressentir certaines sans raison. La plupart des hommes (et des femmes qu'on a habituées à ne pas faire confiance à leurs propres réactions émotives et spirituelles *directes*) comprennent à peine cette affirmation. S'il existe une raison justifiant le fait que la femme ressente une certaine émotion, il se peut que celle-ci l'ignore, mais il arrive parfois qu'une émotion existe vraiment sans raison. La femme «s'aperçoit» parfois qu'elle se sent heureuse ou triste sans raison, et elle le révèle à l'homme. Comme l'homme a *toujours* une raison de ressentir certaines émotions (il peut ne pas la connaître, mais il *sait* qu'il en existe une), il a tendance à ridiculiser ou à abaisser l'état émotionnel de la femme, en particulier si elle lui avoue (ou à la femme formée par un homme) qu'elle n'a aucune raison de se sentir ainsi. À cause de ce grand fossé, la femme a appris à parler rarement de ses émotions, ou est devenue experte dans l'art d'inventer des raisons pour les justifier, apaisant ainsi l'homme. Par exemple, si un homme voit une femme qui semble déprimée (selon sa définition du terme), la conversation pourrait se dérouler ainsi :

L'homme : «Êtes-vous triste?»

La femme : «Je crois que oui.»

L'homme : «Pourquoi êtes-vous triste?»

La femme : «Je l'ignore.»

L'homme (pensant qu'il l'aidera à éclaircir la situation) tentera alors de cerner les sources possibles de cette tristesse pour tenter d'y remédier. Il éprouve des difficultés avec les conversations ou les situations qui ne correspondent pas à ses modes physique ou intellectuel. Lorsqu'une femme parle d'un sujet ne correspondant pas aux deux modes (physique et intellectuel) de l'homme, celui-ci présume qu'elle aimerait clarifier la situation, tout comme il voudrait lui-même l'éclaircir. La femme, d'un autre côté, a l'impression que l'homme ne la laisse pas «tranquille». Elle a l'impression qu'il lui adresse continuellement des reproches ou qu'il veut lui donner le sentiment de manquer d'intelligence. Ce n'est pas le cas. En fait, il tente de résoudre une situation qui le rendrait mal à l'aise. Il tente de la «réparer» en la ramenant aux modes physique ou intellectuel qui le réconfortent.

SPIRITUALITÉ

Le mode spirituel est aussi étranger aux modes physique et intellectuel de l'homme. L'homme a toujours traduit le spiritualisme de façon matérielle (icônes, idoles, statues, drapeaux, restrictions alimentaires, cathédrales et temples ouvragés) ou de façon intellectuelle (philosophie, religion, dogme, jargon et rites). Lorsqu'un homme parle de sa religion, il en décrit habituellement les principes, la structure, les rites, l'histoire et les cérémonies. La femme, quant à elle, décrit son expérience spirituelle. Elle participe aux cérémonies religieuses afin de revivre une expérience spirituelle.

Tout comme pour leurs émotions, la plupart des femmes perçoivent la spiritualité comme une expérience directe. Lorsque l'homme *ressent* vraiment une expérience «spirituelle», il a tendance à façonner autour d'elle une religion ou un dogme afin de l'intégrer à ses deux modes. Comme l'homme se sent plus à l'aise entouré de règles et de règlements, il ne s'aventure pas trop souvent dans le domaine de la spiritualité. Les hommes qui sont parvenus à un certain niveau spirituel ont abandonné toute maîtrise de leur réalité physique (ou ne l'ont jamais possédée). On a dû rappeler à bon nombre de professeurs et de gurus célèbres qu'il leur était nécessaire de s'alimenter et de se laver. De plus, leur bien-être doit habituellement être confié à leurs loyaux adeptes. La plupart des hommes ne peuvent se permettre le luxe de désavouer le mode physique pour atteindre ce niveau, ou considèrent que les avantages qu'ils pourraient en tirer ne valent pas les efforts à investir pour y arriver.

La femme peut atteindre le mode spirituel sans être obligée d'abandonner sa réalité physique. *L'homme doit choisir entre le mode physique et le mode spirituel et entre le mode intellectuel et le mode émotionnel.* La femme se plaint le plus fréquemment du fait qu'elle n'arrive pas à découvrir un homme «équilibré». D'après elle, l'homme «équilibré» est celui qui peut passer aussi facilement qu'elle d'un des quatre modes à un autre. Elle présume que l'homme pense d'abord à lui en insistant pour tout interpréter par l'entremise de ses deux modes. Pour sa part, l'homme tente de se montrer patient en présumant ou en espérant que la femme finira par s'intégrer aux modes physique ou intellectuel, lui évitant ainsi de «perdre» son temps à essayer de communiquer avec elle.

FRANCHIR LE SEUIL PHYSIQUE

Lorsqu'une personne, homme ou femme, en touche une autre, elle en franchit le seuil physique. Ce toucher indique que sa perception est passée du mode intellectuel au mode physique. Ce signal peut à la fois être positif (geste amical, geste sexuel)

et négatif (domination, menace territoriale, expression de colère).
On incite parfois les femmes au travail à se montrer prudentes
au sujet des touchers fortuits. En effet, un geste semblant tout
simplement amical de la part d'une femme (toucher le bras de
quelqu'un ou serrer brièvement quelqu'un dans ses bras), peut
être mal interprété par l'homme, qui croira alors que la relation
vient de passer au mode physique. S'il réagit selon ses propres
signaux et se montre plus affectueux envers cette femme qu'elle
ne l'aurait souhaité, il aura probablement l'impression qu'elle le
taquinait ou se jouait de lui, alors que la femme ignore réellement
les sentiments qu'il éprouve. Dans toutes ses relations interpersonnelles, l'homme surveille constamment ce genre d'indices au
moyen des modes intellectuel et physique.

L'esprit de compétition qui caractérise les hommes s'exprime
habituellement par la force physique ou par la vigueur intellectuelle. La force physique peut se manifester par la puissance exprimée au moyen de l'argent, du territoire ou des muscles. La vigueur
intellectuelle peut se manifester par le pouvoir intellectuel exprimé
à l'aide de bonnes références, de diplômes, ou de postes de direction en affaires ou sur le plan professionnel. Les hommes sont
plus enclins à se mesurer aux autres dans les domaines où ils se
sentent les plus forts.

ÉCART DANS LES JEUX PHYSIQUES

Lorsque l'homme et la femme s'amusent à lutter corps à
corps, comme ça, pour le plaisir, un certain nombre de signaux
sont habituellement mal interprétés. En effet, comme l'homme
possède une force physique supérieure, il peut se sentir défavorisé face à elle, ou manipulé par elle, car il ne peut user de toute
sa force comme il le ferait avec un homme. Il peut aussi présumer qu'elle se montre frêle, ou «joue moins rudement». Comme
nous l'avons déjà souligné, l'homme n'est pas aussi sujet que la
femme aux ecchymoses; il possède moins de terminaisons nerveuses qu'elle et ressent moins la douleur, car sa peau est plus
épaisse et son sang se coagule plus rapidement. Ces caractéristiques et ces attitudes peuvent se combiner et accabler la femme,
qui les associe ensuite à une rudesse apparente ou à un très grand
manque de sensibilité chez l'homme. Celui-ci, conscient de la dis-

parité entre sa force physique potentielle et celle de la femme, doit constamment «se retenir», à moins que la femme ne possède un taux élevé de testostérone, ou qu'elle n'ait été entraînée à se mesurer physiquement aux hommes. Tous deux ont besoin de savoir que l'homme est particulièrement favorisé lorsque la force brute est un facteur important de la compétition.

DIALOGUE ÉMOTIONNEL OPPOSÉ À ATTAQUE

La femme, quant à elle, ne peut se laisser aller complètement à son mode émotionnel car l'homme ne peut supporter ce qui *ressemble* à une attaque menée contre lui. Tout comme la femme est désavantagée physiquement par rapport à l'homme, ce dernier est émotionnellement défavorisé comparativement à la femme. Certaines études indiquent que la femme est aussi vulnérable au stress que l'homme, mais que son corps le combat plus rapidement, ce qui lui permet de retrouver vite son état «normal». Le corps de l'homme met plus de temps à reprendre son état normal, d'où son impression d'avoir été «blessé» émotionnellement beaucoup plus que la femme. Lorsque l'homme affirme qu'il ne «peut plus parler ou combattre pour le moment», on pourrait croire qu'il tente de se soustraire à l'affrontement. En fait, il ne fait que dire la vérité, à son point de vue. Les émotions ne l'affectent pas autant que la femme, il a donc tendance à se protéger du désintéressement apparent et du manque de compassion de la femme envers sa réalité d'homme.

Les abus physiques infligés aux femmes par les hommes résultent de l'incapacité (ou du manque de volonté) de l'homme à se libérer de ses frustrations au moyen d'une soupape émotionnelle mise au point intellectuellement. Il est tout à fait justifié que l'aide aux femmes victimes d'abus physiques fasse partie des priorités sociales, et je crois qu'hommes et femmes devraient mieux se renseigner à ce sujet. Cependant, on parle rarement d'hommes victimes d'abus émotionnels de la part des femmes, sauf pour en rire ou pour les ridiculiser. Si un homme révèle à une femme qu'elle le pousse trop loin, elle interprète souvent mal ses signaux et croit qu'il est enfin prêt à exprimer ses émotions. Comme elle se croit sur la bonne voie, elle continue de le pousser. Au cours de mes ateliers, les femmes affirment fréquemment qu'elles tentent délibérément d'adresser à l'homme des paroles qui l'embêteront, pour l'amener tout simplement à s'ouvrir à elles. Ainsi, cette tentative visant à permettre à l'homme de se «libérer» au moyen du mode émotionnel donne souvent à ce dernier le sentiment d'être manipulé ou blessé gravement par la femme qui se sert de ses «muscles» émotionnels.

INTERPRÉTATION ERRONÉE DES MODES

L'homme tente constamment d'intégrer les états émotionnels de la femme à ses propres interprétations de la réalité afin de pouvoir les comprendre. La femme qui discute de ses sentiments avec l'homme peut s'attendre à ce qu'il lui pose certaines questions qui pourraient se révéler utiles pour aider un autre homme à se concentrer sur la source de ses émotions et à l'identifier. Pour la femme, cependant, cette interprétation semble indiquer une certaine étroitesse et une certaine impatience de la part de l'homme, dynamique que nous examinerons plus tard.

Malheureusement, quand l'homme tente de «traduire», il «provoque» habituellement chez la femme le sentiment qu'on ne la comprend pas, qu'on ne se préoccupe pas d'elle ou qu'on la «manipule». Elle devient alors ennuyée, troublée, frustrée, ou éprouve tous ces sentiments en même temps. Elle se tourne alors vers une de ses amies à qui elle peut parler. Non seulement l'homme n'a-t-il pas répondu à ses besoins, mais il l'a aussi déçue, car à titre de partenaire intime (qu'elle croyait son meilleur ami) il l'a «laissée tomber». Le soutien de son amie souligne de façon plus évidente que son partenaire masculin aurait dû pouvoir l'écouter. Elle présume maintenant que l'homme est lui-même le «problème». Après tout, son amie a immédiatement compris son dilemme. Un ami masculin pourrait aussi l'écouter avec compréhension : n'étant pas lié à elle émotionnellement (ne fournissant aucune énergie), il peut sembler «objectif» devant la situation de la femme.

COMBATTRE OU BATTRE EN RETRAITE

Pendant des milliers d'années, l'homme a dû prendre des décisions rapides en se basant sur les «signaux» émanant de situations où il devait choisir de rester sur place (combattre) ou de fuir (battre en retraite). Grâce à l'évolution, l'homme s'est doté d'une chimie cérébrale et de caractéristiques physiques qui lui permettent d'appuyer de façon naturelle les décisions qu'il prend. Si l'homme décide de combattre, son corps est prêt à le faire. Comme nous l'avons déjà souligné, sa peau est plus épaisse et renferme peu de terminaisons nerveuses, en plus d'être couverte d'une pilosité abondante. Quant au volume de ses poumons, il est assez important pour fournir l'oxygène nécessaire aux muscles. De plus, ses articulations très resserrées peuvent résister aux coups et en infliger; et ses os épais et lourds lui permettent de faire dévier les coups. En outre, son cerveau libère des endorphines qui ont pour effet d'accélérer son rythme cardiaque. D'autres éléments chimiques du corps de l'homme le rendent insensible à la douleur (provoquant le même effet engourdissant que la cocaïne et la morphine), et son sang se coagule très rapidement. Si l'homme doit battre en retraite, son corps libère l'adrénaline qui lui est nécessaire pour courir à grande vitesse, et qui augmente l'élasticité de ses muscles.

LES CINQ CONCESSIONS DE LA FEMME

L'univers physique est le domaine idéal, pour l'homme. En effet, son orientation est physique, et son cerveau est structuré de façon à faire face à la réalité objective. Néanmoins, j'ai découvert, en travaillant avec bon nombre de groupes féminins (et au cours de mes séances individuelles), que les femmes sont toujours confrontées à un certain nombre de questions qui leur sont propres, parce que *leur orientation n'est pas fondée sur l'univers physique.* J'appelle ces questions des «concessions» et je les décris sommairement comme des conflits sans issue, où la femme a l'impression de «renoncer» ou de «céder».

Ces concessions sont sous-jacentes à la plupart des comportements féminins, même si la femme ne les affronte pas consciemment. Si vous êtes une femme, vous reconnaîtrez peut-être dans l'une ou l'autre de ces concessions une situation que vous tolérez ou combattez depuis une éternité. Comme les hommes de votre entourage ne semblent pas éprouver ce problème, vous vous culpabilisez ou avez décidé de vivre en supportant un fardeau presque intolérable. (Bon nombre d'homosexuels et d'hommes gauchers, doués au point de vue artistique, ont vécu certaines de ces concessions, mais pas toutes.) Si vous êtes un homme, vous reconnaîtrez peut-être certaines de ces concessions, vieilles de centaines d'années, que les femmes ont toujours tenté d'exprimer verbalement. Mais il se peut que vous leur ayez accordé peu d'attention.

Je considère ces concessions comme des «frais généraux», le prix que doivent payer les femmes pour vivre dans un univers physique. Cependant, même si elles font partie intégrante de l'existence de la femme, ces concessions ne doivent pas nécessairement devenir un fardeau pour elle.

1. Exister sur le plan physique

La première concession que fait la femme consiste simplement à vivre au sein d'un univers physique. Le seul fait de vivre dans cet univers lui donne l'impression d'être prisonnière. Le fait qu'elle possède un corps peut se révéler ennuyeux pour elle, ou lui donner le sentiment d'être limitée. Ce corps peut parfois tomber malade et elle doit alors le soigner; il peut parfois être en forme, et parfois ne pas l'être. La femme sent intérieurement qu'elle n'a pas besoin de s'ancrer dans la réalité physique ni de s'orienter par son entremise. Il existe d'autres réalités aux yeux de la femme, qui sont moins denses que l'univers physique (modes émotionnel et spirituel). Cependant, la femme doit fonctionner dans la réalité objective, qu'elle s'y sente à l'aise ou non. Elle ne peut, d'un simple claquement de doigts, se retrouver ailleurs, même si elle a l'impression d'avoir déjà pu le faire par le passé.

Je crois que la femme et ses relations existent à l'extérieur de la réalité objective. En effet, ce que nous appelons normalement la réalité subjective (émotions, intuition, perception extra-sensorielle, spiritualité, et le reste) existe aux confins du cerveau, mais ces éléments échappent habituellement à la perception et à la compréhension de l'homme. L'homme abaisse donc (à l'instar de la plupart des êtres humains) tout ce qu'il ne comprend pas. Pourquoi s'étonner alors que l'homme entretienne avec la femme des rapports pouvant laisser supposer qu'elle est inconsciente, frivole, ou irréaliste?

La notion voulant que la femme puisse exister en marge de la réalité de l'homme le déroute, simplement parce qu'elle met en cause un domaine qui lui échappe. La femme invite continuellement l'homme à dépasser ses limites physiques et intellectuelles sans se rendre compte qu'il doit maintenir ces limites afin de conserver sa santé mentale. Autant ces limites sont saines pour l'homme, autant elles sont malsaines pour la femme. Pour que l'homme coopère avec la femme, celle-ci doit reconnaître que le niveau physique (même s'il l'ennuie) est d'une importance cruciale pour l'homme. Pour la femme, demander à l'homme de traverser la frontière pour la rejoindre dans sa réalité sans limite peut lui sembler comme une simple demande, mais pour l'homme, cette requête peut sembler menacer sa vie.

2. Laisser tomber la colère

La femme ressent une colère intérieure à l'idée d'être «prisonnière» du plan physique. Pour apaiser cette colère, elle doit se montrer prête à établir un équilibre entre les niveaux d'existence masculin et féminin.

La femme sait qu'elle n'est pas aussi «méchante» qu'elle pourrait l'être! Elle soumet bon nombre de ses impulsions à une certaine discipline, les contrôle, et paie un prix énorme pour maîtriser sa colère émotionnelle. (L'équivalent masculin de cette concession consiste à maîtriser l'agressivité physique.) La femme aimerait parfois provoquer certaines situations dans le simple but de voir l'homme s'énerver mais elle ne le fait pas. La femme ne rit pas autant en présence des hommes qu'elle le ferait en présence de femmes. Elle étouffe sa spontanéité, son intelligence, et son point de vue féminin en général afin d'établir de meilleurs rapports avec les hommes.

C'est pourquoi il est très important que la femme mette au point des méthodes saines lui permettant d'apaiser sa colère sans se blesser et sans blesser sa famille.

3. Laisser tomber la répression

La troisième concession que doit faire la femme consiste à subir la frustration constante découlant du sentiment d'être réprimée, incomprise, et exploitée. La femme se surveille continuellement afin de toujours agir de façon «adéquate», mais comme on la juge habituellement selon les critères de la réalité masculine, il semble qu'il n'existe pour elle aucun moyen de se montrer constamment «correcte». Elle doit définir sa propre réalité et développer une saine estime de soi qui ne soit pas fondée sur les critères masculins.

4. Entretenir la notion de la réalité masculine

La quatrième concession que doit faire la femme consiste à entretenir la notion de la réalité masculine. Elle doit pouvoir travailler dans un monde rationnel et physique afin d'établir de bons rapports avec l'homme, alors que ce dernier n'a pas besoin de vivre dans le monde féminin pour survivre. La femme fait continuellement des compromis pour assurer la paix. (L'homme fait aussi des compromis pour éviter tout conflit.) La femme accepte parfois l'opinion de l'homme pour qu'il la «laisse tranquille». Si la femme tire son épingle du jeu, on l'accuse de se montrer soumise. Par contre, si elle résiste et combat, on la qualifie de chipie, même si on abuse de son énergie. Tant que l'homme ne prendra pas conscience de la réalité féminine, et tant qu'il ne la respectera pas, l'homme et la femme se trouveront tous deux dans une situation sans issue.

5. Patienter

La cinquième concession que doit faire la femme consiste à patienter jusqu'à ce que la dépendance de l'homme à l'égard du plan physique soit transformée, de sorte que notre espèce puisse évoluer, et intégrer les domaines intuitifs et spirituels à une dépendance moins prononcée de la réalité.

Ces concessions ont une certaine signification pour la femme. Cependant, la plupart des hommes ne se rendent pas compte des épreuves que traversent les femmes en vivant aux confins de l'univers physique, ni des conséquences énormes de ces concessions.

Lorsqu'un homme ne peut expliquer une situation, il la relègue aux limites extérieures de l'inconnu, ou de la spiritualité, ou encore, il l'attribue au hasard, qu'il s'agisse d'événements favorables ou non. De plus, même s'il arrive que l'homme se plaigne de la réalité physique objective, il tire un certain réconfort du fait qu'elle soit prévisible.

Les guerres opposant les deux sexes ont toujours fait rage. Cependant, il y a 15 000 ans, la guerre des sexes ne se discutait que chez les riches, ou était représentée par des pouvoirs mythologiques et par des dieux, sous la forme d'hommes ou de femmes. Comme la durée de vie moyenne était de 24 ans, la majorité de la population s'occupait à assurer sa survie, et la plupart des êtres humains ignoraient l'existence de cette guerre et, plus encore, son intensité. Dans bon nombre de sociétés, l'homme et la femme ont désormais assez de temps libre pour s'apercevoir que nous ne sommes pas compatibles, et je crois que nous n'avons découvert que très récemment l'immensité des différences qui nous séparent.

En tant qu'êtres humains, il semble que nous évoluons selon nos possibilités individuelles et par nécessité écologique. Cette interaction entre nature et éducation semble gouverner notre évolution génétique, en nous laissant cependant à notre bon vouloir.

Bien des gens considèrent que les qualités féminines comme l'attention et l'habileté à créer des liens témoignent d'un manque de maturité en plus d'être inutiles. À mon avis, cependant, elles ont représenté un des éléments les plus importants de l'évolution de notre civilisation, et le représentent toujours. Il est sûrement temps de redéfinir l'adulte qui a atteint la maturité et d'intégrer les valeurs féminines au nouveau modèle d'«humanité équilibrée» qui se dessine.

Si nous mettons à profit notre capacité de maîtriser nos pensées et modifions notre mode de vie, nous serons en mesure de faire de nouveaux choix. C'est pourquoi il est grand temps d'apprendre à connaître nos différences et à nous sentir à l'aise devant elles.

Au début de ce chapitre, j'ai affirmé que les modes de perception se manifestent par un éventail de comportements. Le schéma de l'éventail des comportements illustre ma théorie des réalités masculines et féminines et la façon dont elles sont perçues. Vous pourrez peut-être vous y reconnaître et y reconnaître

ÉVENTAIL DES COMPORTEMENTS

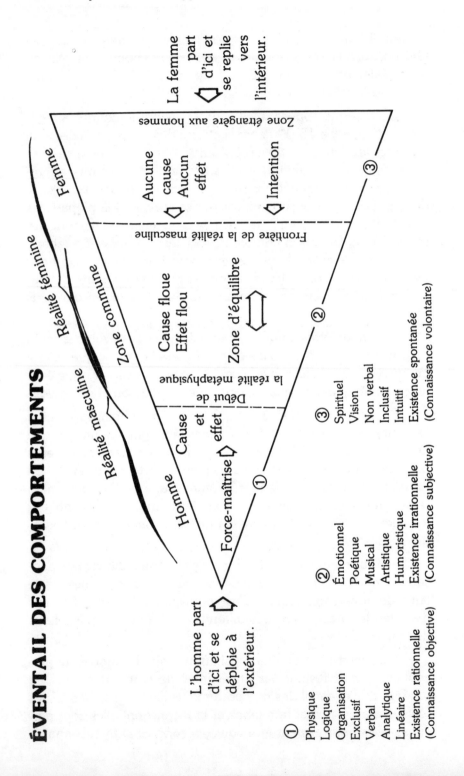

L'homme part d'ici et se déploie à l'extérieur.

La femme part d'ici et se replie vers l'intérieur.

Zone étrangère aux hommes

Femme

Réalité féminine

Zone commune

Réalité masculine

Frontière de la réalité masculine

Aucune cause
Aucun effet

Intention

Cause floue
Effet flou

Zone d'équilibre

Début de la réalité métaphysique

Homme

Cause et effet

Force-maîtrise

① Physique
Logique
Organisation
Exclusif
Verbal
Analytique
Linéaire
Existence rationnelle
(Connaissance objective)

② Émotionnel
Poétique
Musical
Artistique
Humoristique
Existence irrationnelle
(Connaissance subjective)

③ Spirituel
Vision
Non verbal
Inclusif
Intuitif
Existence spontanée
(Connaissance volontaire)

les autres, et commencer à comprendre pourquoi et à quel moment vos relations se compliquent.

RÉSUMÉ DU CHAPITRE

L'homme possède deux principaux modes de perception : physique et intellectuel.

La femme possède quatre modes de perception : physique, intellectuel, émotionnel et spirituel.

L'orientation de l'homme est perçue par son esprit et exprimée par son corps.

L'homme «intelligent» cherche à remédier aux problèmes et au stress par le raisonnement et la parole.

L'homme d'intelligence inférieure a recours aux gestes pour communiquer.

L'homme montre des indices et émet des signaux lorsqu'il passe du mode intellectuel au mode physique.

L'homme ne sait pas si une chose existe tant qu'elle ne se matérialise pas (réalité objective).

L'homme présume, à tort, que la femme utilise seulement les modes de perception intellectuel ou physique.

Passer du mode intellectuel au mode physique est une étape positive, car c'est ainsi qu'on obtient des résultats concrets.

La femme perçoit les émotions et la spiritualité comme une expérience directe, ni physique, ni intellectuelle.

L'homme a toujours interprété le spirituel de façon matérielle ou de façon intellectuelle.

Lorsqu'une personne, homme ou femme, en touche une autre, sa perception passe au mode physique.

L'esprit de compétition entre les hommes s'exprime habituellement par la force physique ou la vigueur intellectuelle.

Comparé à la femme, l'homme est favorisé lorsque la force brute est un facteur important de la compétition.

L'homme se sent souvent manipulé ou blessé par toute femme tirant avantage de ses «muscles» émotionnels.

La femme est aussi vulnérable au stress que l'homme, mais son corps le combat plus rapidement, ce qui lui permet de retrouver plus vite son état «normal».

L'homme est doté d'une chimie cérébrale et de caractéristiques physiques lui permettant d'appuyer naturellement sa décision de «combattre» ou de «battre en retraite».

La femme fait constamment un certain nombre de concessions car l'orientation de sa perception n'est pas fondée sur l'univers physique.

Les concessions sont des conflits sans issue, où la femme a l'impression de «renoncer» ou de «céder».

Voici les cinq concessions que font les femmes :
Exister sur le plan physique
Laisser tomber la colère
Laisser tomber la répression
Entretenir la notion de la réalité «masculine»
Patienter

En tant qu'êtres humains, il semble que nous évoluons selon nos possibilités individuelles et par nécessité écologique.

8

RÉALITÉ OBJECTIVE CONTRE RÉALITÉ SUBJECTIVE

Comprendre certains des choix et des limites qui s'offrent à nous en tant qu'êtres humains peut nous soulager de l'accablante impression que quelque chose ne va pas en nous. Cette compréhension peut aussi nous permettre d'apprécier le comportement «naturel» d'autrui, même s'il diffère du nôtre.

DIFFÉRENCES INTRADUISIBLES

Nous avons tous remarqué que, même si l'homme et la femme appartiennent à la même espèce, certaines expériences de vie sont essentiellement masculines et d'autres, essentiellement féminines. Ainsi, l'homme ne vivra jamais une grossesse, ni un cycle menstruel. Il peut exister des variantes, d'une femme à une autre, mais toutes comprennent qu'elles partagent une expérience commune qui leur permet de sympathiser. La femme peut tenter de décrire à un homme l'expérience de la grossesse en employant des termes qu'elle considère «approchant la réalité», mais elle ne pourra jamais vraiment la traduire parfaitement. En effet, l'homme ne peut qu'essayer d'imaginer la sensation de porter une autre vie en son sein, ou la façon dont la grossesse influence la femme au niveau de l'acuité auditive, de la température corporelle et de la sensibilité tactile.

De même, les expériences vécues par l'homme ne sont pas toujours compréhensibles pour la femme. Par exemple, le conditionnement imposé aux personnes de son sexe par le passé explique souvent la façon dont l'homme réagit en certaines circonstances.

Le corps de l'homme et son esprit ont évolué pour lui permettre de s'adapter à son rôle de chasseur. Il pouvait, en effet, mesurer le temps et évaluer la distance parce que sa vie en dépendait. Il devait savoir exactement à quelle distance se trouvait tout animal ou tout ennemi, à quelle vitesse il devait s'enfuir, et à quelle distance son ennemi pouvait projeter une lance. Ces talents mécaniques se développèrent pendant des centaines de milliers d'années.

Nous pouvons observer ce comportement instinctif chez l'homme moderne quand, après avoir conversé et s'être diverti lors d'un repas au restaurant avec une femme, il la raccompagne à la voiture. L'homme, qui s'était montré détendu et aimable à table, devient alors silencieux et calme. Il se comporte ainsi parce qu'il examine les alentours, inconsciemment, pour y détecter tout danger. En plus de devoir se protéger, il doit protéger sa compagne. Certains éléments chimiques sont alors libérés dans son organisme. Son cerveau libère des endorphines, comme s'il était physiquement menacé. L'homme balaie le terrain de stationnement à l'aide de son système radar, tandis que sa compagne, ignorant ce qui se passe, veut poursuivre la conversation.

Elle dit: «C'était agréable, n'est-ce pas? Que veux-tu faire maintenant?»

Il serre alors les dents, et se montre agacé quand ils arrivent à la voiture, sans qu'elle sache pourquoi. (Peut-être l'ignore-t-il lui-même!) C'est que le manque d'égards de sa compagne le blesse et le fâche (peu importe le fait qu'ils ne couraient vraiment aucun risque, l'endroit où ils se trouvaient et les circonstances particulières l'ont poussé à réagir comme s'il devait repousser une attaque), car elle ne cesse de bavarder à propos de choses qu'il juge sans importance, ou même insignifiantes. Il se dit: «Elle aurait pu attendre que nous soyons en sécurité dans la voiture.» Il se sent mal à l'aise avec elle.

La plupart des hommes ne se rendent pas compte du changement qui s'opère dans leur comportement. En effet, lorsque j'utilise cet exemple au cours de mes ateliers, les hommes me disent : «Je ne me suis jamais rendu compte que mon comportement changeait de la sorte. Mais vous avez raison, c'est bien ce qui se produit», ou encore : «Je croyais qu'elle savait ce que je faisais.»

ORIENTATION DU MOI

Parmi les résultats de la spécialisation du cerveau de l'homme, on retrouve son orientation, ou point de vue : comment il perçoit le rôle qu'il joue sur cette planète. On désigne habituellement cette orientation par le terme «ego». La première définition qu'en donne le dictionnaire est tout simplement : «Le moi, l'individu tel qu'il se connaît.»

Dans le sens que je lui donne pour décrire la réalité de l'homme, «ego» est un mot que la femme ne comprendra vraiment jamais par expérience. Sauf en psychologie clinique, «ego» a le plus souvent une connotation négative, et on l'associe à pharisaïsme, manque d'égards et prétention.

Ce point central de l'orientation de l'«ego» constitue une distinction majeure entre l'homme et la femme.

Ego masculin : incompris

La réalité de l'homme débute en son for intérieur pour ensuite s'extérioriser. Elle part d'un «centre» à l'intérieur du corps. (S'il est intellectuel, le «centre» est situé dans sa tête; s'il est physique, le centre est habituellement situé dans le coeur ou l'estomac.) L'homme s'extériorise, son énergie se déploie et il commence à réagir à l'univers physique par l'entremise de ce qu'on appelle généralement la «conscience». Autrement dit, l'homme commence à s'apercevoir qu'il existe autre chose que son «centre», et prend maintenant conscience de son corps. À mesure qu'il continue de s'extérioriser, il prend conscience de son environnement et des choses qui l'entourent. (Chaque fois qu'il «s'extériorise», il dépense de l'énergie.) Tout ce qui l'entoure existe désormais par rapport à son centre et en fonction de lui. Son centre devient le centre de l'univers. L'homme doit donc devenir le centre de son univers car tout tourne autour de lui. L'orientation de l'homme est exclusive, discriminatoire et analytique.

Lorsqu'un homme entre dans une pièce, il cherche l'endroit où son «centre» sera à l'aise. Il se met ensuite à évoluer vers l'extérieur. S'il possède assez d'énergie, il continuera de s'étendre jusqu'à inclure la pièce entière. Il dépense son énergie en restant à «l'extérieur», et la quantité d'énergie déployée dépend de sa résistance, de son intelligence et du contrôle qu'il peut exercer sur son environnement. (S'il se fatigue, remarquez comment il se renferme jusqu'à ce qu'il ne puisse s'occuper que de lui-même. Il ne lui reste plus assez d'énergie pour se préoccuper du reste.)

Si vous voulez vérifier la «conscience» d'un homme, demandez-lui de fermer les yeux et posez-lui les questions suivantes : «Combien y a-t-il d'ampoules électriques dans cette pièce? Quelle est la grandeur de la pièce? Combien mesure-t-elle?» Il aura examiné tous ces facteurs (ou d'autres facteurs importants) afin de comprendre la place qu'il occupe dans l'univers physique.

L'homme est exclusif

À cause de la façon dont son cerveau est organisé, je crois que l'orientation naturelle de l'homme est «exclusive», selon la définition du Webster :

1. Qui exclut tout le reste; rejetant toute autre considération, tout autre événement, existence, occupation (par exemple, les termes végétal et minéral sont exclusifs);

2. Qui a tendance à exclure tous les autres, ou qui possède la force de le faire;

3. Qui exclut tout, sauf ce qui est spécifié.

Pour clarifier le terme «exclusif» dans le contexte qui nous intéresse, il est important de se rappeler que l'homme évalue tout au moyen de la réalité objective (temps, distance et mesure). À partir d'un endroit précis ou d'un point de départ particulier, toute réalité peut être établie.

L'homme se situe au centre de son existence et dépense de l'énergie (réserves de graisse, argent, objets d'échange, ou personnalité) à mesure qu'il s'éloigne de son «centre» pour réagir à l'univers physique.

L'homme se mesure, entre autres, par l'ampleur de sa sphère d'influence. En effet, l'homme mesure tout ce qui l'entoure : territoires, entreprises, maisons, comptes bancaires, tout! L'homme très «conscient» peut rester à l'extérieur de lui-même plus longtemps que quiconque. À partir de son centre, il mesure sa force en fonction de l'influence ou du contrôle qu'il exerce sur le monde qui l'entoure. Sa «puissance» peut être une énergie qui se traduit en termes d'endurance physique (certains hommes sont des chefs de file efficaces tout simplement parce qu'ils ont plus d'endurance que d'autres), d'argent (il peut acheter la force des autres), ou de personnalité (il peut convaincre les autres de mettre à contribution leur puissance).

L'homme de forte volonté peut dépenser de grandes quantités d'énergie pour continuer à maîtriser les éléments sur lesquels il a un droit exclusif. Il retourne parfois à son «centre» pour se «ravitailler» (ou «renouveler» son énergie), mais il n'informe jamais les autres de ce ressourcement. À ses yeux, cette période de repos représente un moment de vulnérabilité. Il doit «récupérer» et reprendre les commandes avant qu'on ne remarque sa perte d'énergie. Certains hommes exercent une influence limitée et ne peuvent maîtriser que leur entourage immédiat ou les circonstances du moment, comme leur travail ou l'endroit où ils vivent. Si on retire à l'homme sa puissance, il arrive moins facilement à s'extérioriser, influence moins son environnement, et ressent moins son «moi». La source de sa puissance diminue et l'influence qu'il exerce témoigne de cet affaiblissement. L'homme ne pouvant maîtriser son environnement risque de transférer sa frustration et sa colère sur sa famille ou ses collègues.

La plupart des femmes ne manifestent pas ce comportement «exclusif» et, quand un homme affirme à une femme qu'il est le centre de l'univers, il semble lui dire que c'est le cas pour lui, mais pas pour elle! L'homme qui affirme : «Tout tourne autour de moi» semble très égocentrique. Mais il ne s'agit pas là en réalité d'une affirmation égocentrique, car pour lui, il s'agit d'une vérité et les hommes agissent ainsi entre eux. L'homme n'a pas l'intention d'insulter les autres, ni de les abaisser, car il en pense autant des autres hommes. L'homme établit un rapport avec son entourage pour ensuite y réagir. Il sait ce qu'il fait par rapport à l'endroit où son «centre» est situé. Et l'endroit où il se tient correspond à son «centre»; il émane de cet endroit et tout ce qui l'entoure fait partie de son univers. La pièce dans laquelle il se trouve est «sa» pièce, et tout ce qu'elle renferme est à lui : «ses» chaises, «ses» tables, et «son» stylo. Si on déplace un objet dans cette pièce, l'homme devra se concentrer à nouveau en retournant à son «centre» intérieur pendant un moment. Il entamera alors le processus de déploiement de son énergie pour établir de nouveau qui il est en se guidant sur ce qui se passe dans la réalité physique. Il est maintenant défini de nouveau, car les éléments de son univers le sont aussi. Le contrôle qu'il exerce sur les éléments de son univers (les empêchant de se déplacer au hasard) détermine la quantité d'énergie qu'il peut dépenser pour vivre. L'homme dépense de moins en moins d'énergie si rien ne change.

Une fois que l'homme a défini son «centre» à l'intérieur de la pièce, les murs limitent toute interférence extérieure, et il n'a pas besoin de plus d'énergie pour faire face à tout ce qui se trouve à l'extérieur de ces murs. Comme il se trouve dans une pièce fermée (règles et règlements servant de «murs»), l'homme se sent réconforté car les objets auxquels il doit faire face sont figés. Lorsqu'un de ces murs disparaît, l'homme doit incorporer de nouveaux éléments à son univers, dépensant donc plus d'énergie. Dans la mesure où l'homme est entouré de quatre murs (limite plutôt permanente), il n'a qu'à dépenser plus d'énergie pour remplir la pièce. Il peut ensuite se détendre.

Si on déplace, à son insu, les meubles dans sa pièce, l'homme se sentira un peu perdu pendant un moment. Il est possible qu'il ne s'aperçoive pas immédiatement de la différence, tout en sachant que quelque chose a changé. On peut même observer cette confusion jusqu'à ce qu'il identifie le changement (ce qu'il peut faire de façon consciente ou inconsciente). Il retournera à son «centre» intérieur, dépensera de l'énergie à détecter l'objet qu'on a déplacé et l'endroit où on l'a placé, s'adaptera au changement et se sentira à l'aise de nouveau. Ce processus peut se produire en quelques secondes ou durer plusieurs mois, selon son degré d'énergie et d'estime de soi. (Ces facteurs déterminent aussi la rapidité avec laquelle il devient désorienté.)

Tout changement opéré sans sa «permission» provoquera sûrement en lui un sentiment de confusion, de frustration et de colère. Dans sa réalité, il est maintenant forcé de modifier ce qu'il représente dans l'univers et la place qu'il y occupe. Si un autre provoque cette modification, l'homme peut réagir de deux façons. Il peut tout d'abord essayer de maîtriser la source de ce changement extérieur, ou encore il peut s'y soumettre en tentant d'éviter la source ou la répétition de ce changement. Il essaiera de maîtriser son environnement physique afin d'échapper à son influence et d'éviter qu'il ne le force à s'orienter constamment. Il tentera d'établir certaines règles pour rendre prévisible tout changement, ou pour se libérer de sa colère et de sa frustration aux dépens de celui qui a enfreint les règles.

Conséquences de l'exclusivité de l'homme

Certains problèmes surgissent dans une relation à cause de la réalité exclusive de l'homme. Examinons l'exemple typique de l'homme qui regarde une émission télévisée. Il peut s'agir d'une émission sans importance, d'une reprise ou même d'une annonce publicitaire. *Le fait est que la télévision occupe toute son attention.* Nous pourrions aussi utiliser un journal, un livre ou un passe-temps pour illustrer cet exemple.

La femme s'approche de l'homme concentré sur l'émission, et commence à lui parler. (En fait, il est à l'intérieur du téléviseur, mais la plupart des femmes ne comprennent pas cette situation.) L'homme commence à se sentir envahi, entend une sorte de bourdonnement, ou un bruit étranger. Il ne sait pas vraiment d'où vient ce sentiment, mais il espère qu'il s'estompera. La femme continue de parler comme si elle s'adressait à une autre femme, qui, comme elle, peut se concentrer sur plus d'une chose à la fois. Se rendant compte que cette intrusion ne disparaîtra pas, l'homme cesse de se concentrer sur l'émission télévisée et, d'un air ennuyé, lui dit avec agacement : «Hein?»

Elle : «Alors, qu'en penses-tu?»

Lui : «À propos de quoi?» (Son agacement s'accentue.)

Elle : «De ce que je te disais!» (Elle commence à croire qu'elle parle à un idiot.)

Lui : «Je n'ai pas entendu ce que tu m'as dit!»

La femme peut alors décider d'agir de plusieurs façons :

1. Elle peut respirer profondément et tout répéter à partir du début. Elle tolère le comportement de l'homme et croit qu'il ne se préoccupe que de lui-même, ou encore elle subit son agacement, croyant que quelque chose ne va pas en elle parce qu'il lui a laissé entendre qu'elle ne mérite pas son attention.

2. Elle peut présumer qu'il a compris ce qu'elle lui a dit et qu'il prétend éviter la question, et lui répéter : «Alors, qu'en penses-tu?» Il se sent de plus en plus énervé à mesure qu'elle se répète parce qu'elle ne semble pas croire qu'il ne l'a pas entendue, ou ne veut pas le croire.

3. Elle a répondu elle-même à sa question pendant ce temps et peut lui dire : «Bon, ça va. Laisse tomber.»

Il réplique alors : «Laisse tomber? Laisse tomber! Tu m'as dérangé pour me dire de laisser tomber?»

La femme ne se rend pas compte qu'elle l'importunait, et de son côté, il ne s'aperçoit pas que la situation n'aurait pas importuné une autre femme (ni un homme formé par une femme).

Son «centre» se situait désormais dans sa concentration sur l'émission qu'il regardait, et il devait dépenser de l'énergie d'abord pour sortir du téléviseur, ensuite pour se concentrer sur la source de l'interruption. Il ne lui en veut pas en particulier, cependant. Toute interruption, causée par le chien, les enfants, un appel téléphonique, ou un bruit venant de l'extérieur, aurait le même effet. La femme est tout simplement un autre objet dont l'homme doit s'occuper à l'intérieur de sa réalité objective. La réalité de la femme, au point de vue relation et association, lui permet de réagir à plusieurs «objets» simultanément sans qu'aucun d'eux ne crée de problèmes particuliers.

Malheureusement, l'homme et la femme de cet exemple pensent tous deux que l'autre manque d'égards, ce qui n'est pas le cas. En vérité, les deux présument agir dans la même réalité.

L'homme présume que tout être humain possède la même orientation vers l'univers physique. La plupart n'en sont pas conscients mais si un homme examine son expérience en tant qu'homme, il découvrira l'orientation de son «centre» dans l'univers. L'endroit où il se trouve physiquement représente son ego. Il s'identifie par la connaissance des choses qui l'entourent, et tout ce qui l'entoure le définit et se reflète sur lui et sur son point. Une fois qu'il s'est identifié, situé, et qu'il peut maîtriser autant de choses qu'il lui est nécessaire au sein de son environnement, il peut enfin se sentir à l'aise.

La femme est inclusive

La femme agit selon le contexte dans lequel elle se trouve. Elle ne possède pas de point fixe, mais aborde la réalité de façon holistique. Apparemment, la femme existe à l'extérieur de la réalité physique et semble, aux yeux de l'homme, se situer aux limites de sa réalité (masculine, physique).

La plupart des femmes doivent réduire (limiter) leur conscience pour établir un rapport avec la réalité physique. La femme doit renoncer à la liberté sans limite de sa réalité pour pouvoir se concentrer et ne penser qu'à une chose. La femme dépense de l'énergie pour entrer dans la réalité physique et y réagir. Lorsque la femme désire retrouver son énergie ou l'emmagasiner, elle échappe aux limites physiques par ses gestes, son imagination ou par ses rapports avec les autres. Elle est inclusive.

D'après le Webster, «inclusive» signifie :

1. Qui inclut ou qui a tendance à inclure; particulièrement tout prendre en considération, tout estimer.

2. Qui inclut les termes, les limites ou les extrêmes mentionnés.

Une des définitions du terme «inclusif» «qui inclut... les extrêmes» signifie que la femme voit au-delà des limites afin de pouvoir les percevoir. L'homme se rend aux limites, mais ne les dépasse pas.

Les comportements «exclusif» et «inclusif» démontrent comment l'homme et la femme perçoivent la réalité. On peut facilement voir comment et pourquoi nous nous heurtons à des problèmes en présumant que la personne de sexe opposé suit la même orientation que nous.

Comme la femme a un comportement inclusif, elle ne divise habituellement pas le temps ni les distances, pas plus qu'elle ne se préoccupe autant des «pertes d'énergie» que l'homme. Les gens participant à mes ateliers mentionnent souvent que la femme a tendance à laisser les ampoules allumées, le téléviseur ou la radio en marche même lorsqu'elle sort de la pièce. Au cours d'un atelier, un homme a raconté comment il avait remédié au problème des «ampoules». Il nous a dit avec fierté : «J'ai mis fin à son habitude de laisser les ampoules allumées dans les placards.»

«Comment vous y êtes-vous pris?» ont demandé tous les hommes avec empressement.

«Bien, j'ai tout simplement installé un interrupteur sur la porte, de sorte qu'aussitôt qu'elle la referme, la lumière s'éteint automatiquement!»

Tous les hommes se mirent à rire, considérant que c'était une bonne idée.

«Comment arrivez-vous à lui faire refermer la porte?»

Il répondit : «J'essaie toujours!»

Femme et contexte

La femme part de l'endroit du modèle de la réalité appelé «réalité inclusive» (contexte, réalité physique extérieure) et se dirige vers l'intérieur, vers son «centre», sans jamais vraiment pouvoir l'atteindre. D'après l'expérience qu'elle vit habituellement en entrant dans une pièce, quelle qu'elle soit, la seule façon dont la femme puisse s'y introduire est de se diminuer. En effet, la femme doit éliminer la partie de son expérience non physique se trouvant à l'extérieur de la pièce. La femme se sent plus grande que la pièce, et lorsqu'elle y pénètre, elle se sent vraiment limitée. Elle se sent manipulée, réprimée, et prisonnière des murs, car ces murs l'empêchent de connaître l'expérience de ce qui se trouve à l'extérieur. (Les femmes ne sont pas nécessairement toutes conscientes de ce sentiment, mais lorsque nous discutons de ce scénario au cours des ateliers destinés aux femmes, elles le reconnaissent toutes.) À la suite d'une discussion portant sur les principes des comportements inclusif et exclusif au cours d'un atelier destiné aux femmes d'une entreprise, l'une d'elles, qui occupait un poste de directrice, est revenue à la séance suivante et a donné un bel exemple de ces comportements. Elle avait dirigé une réunion du personnel où se trouvaient des hommes et des femmes et, sans avertissement, elle a demandé à tout le monde de fermer les yeux. Elle a demandé ensuite aux hommes et aux femmes de décrire la pièce. Tous les hommes ont pu en indiquer la grandeur, le nombre de chaises qu'elle renfermait, la distance séparant les murs, et le nombre d'hommes et de femmes qui s'y trouvaient. Aucune des femmes n'a pu décrire la pièce aussi précisément que les hommes (certaines femmes n'étaient pas certaines du nombre de murs qui les entouraient, de cloisons divisant la pièce, ni du nombre de fenêtres), mais les femmes étaient beaucoup plus conscientes des conversations qui se déroulaient au moment où la directrice leur a demandé de fermer les yeux, des sentiments que tous ressentaient, de l'attitude de tous les individus, de la température qui régnait dans la pièce et de l'agencement des couleurs qui la décoraient.

L'exemple donné par cette directrice démontre aussi très bien comment on utilise parfois les différences séparant les gens de sexe opposé pour prouver à certaines personnes qu'elles *n'étaient pas attentives*. Pour l'homme, être attentif consiste à connaître les caractéristiques physiques de la pièce. Pour la femme, être attentive (être consciente) signifie se montrer sensible à l'environnement subjectif (sens, relations émotionnelles se manifestant dans la pièce). L'homme se sert du peu d'attention que porte la femme aux détails physiques pour prouver qu'elle n'est pas aussi «intelligente» ni aussi «consciente» que lui, et qu'elle n'est donc pas aussi digne de confiance. La femme utilise le peu d'attention que porte l'homme à l'environnement subjectif pour prouver qu'il manque d'égards envers les autres, qu'il est insensible à ce qui se passe *vraiment* et que, par conséquent, il manifeste moins de compassion ou d'amour que la femme.

Il semble, aux yeux de l'homme, que la femme se conduit délibérément de façon à le garder toujours sur le qui-vive. Lorsqu'un homme applique les habitudes masculines ou les comportements masculins à la femme, elle semble écervelée, frivole, et paraît manquer de respect envers la réalité physique de

MODÈLES DES RÉALITÉS MASCULINE ET FÉMININE

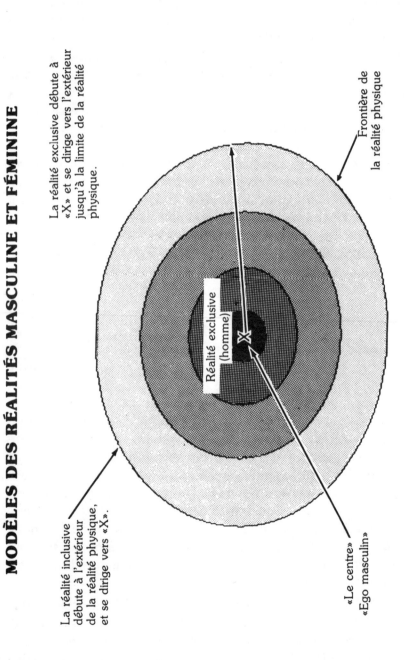

La réalité exclusive débute à « X » et se dirige vers l'extérieur jusqu'à la limite de la réalité physique.

Frontière de la réalité physique

Réalité exclusive (homme)

La réalité inclusive débute à l'extérieur de la réalité physique, et se dirige vers « X ».

« Le centre » « Ego masculin »

l'homme. Lorsque la femme applique les habitudes féminines à l'homme, il semble entêté, inflexible et sans humour. Il est impossible pour deux personnes de travailler en harmonie ou de maintenir une relation remplie d'amour si chacune de ces personnes s'attend à ce que l'autre modifie son comportement, en particulier lorsque tout changement semble insensé aux yeux de la personne en question!

RÉSUMÉ DU CHAPITRE

Certaines expériences de vie sont propres à l'homme tandis que d'autres sont propres à la femme.

Hommes et femmes réagissent souvent aux situations d'après le conditionnement qu'on a imposé aux personnes de leur sexe dans le passé.

Une des différences majeures séparant l'homme et la femme est l'orientation du moi.

La réalité de l'homme s'amorce à partir de son «centre» et se dirige vers l'extérieur.

En s'éloignant de son «centre», l'homme dépense de l'énergie.

L'orientation de l'homme est exclusive, discriminante et analytique.

Parmi les mesures que l'homme utilise, on retrouve sa sphère d'influence.

L'homme se retire vers son «centre» pour récupérer, recouvrer son énergie ou reprendre la maîtrise.

L'homme est situé au centre de son univers et tout se produit par rapport à lui.

L'homme utilise de moins en moins d'énergie lorsque rien ne change.

La réalité de la femme lui permet de réagir simultanément à de nombreux «objets».

La femme est inclusive et aborde la réalité de façon holistique.

La femme peut exister à l'extérieur de la réalité physique et semble, aux yeux de l'homme, se trouver à la limite de la réalité (physique) masculine.

La femme doit réduire sa conscience afin de pouvoir établir un rapport avec la réalité physique.

La femme dépense de l'énergie pour pénétrer dans la réalité physique et pour y réagir.

La femme voit *au-delà* des limites afin de les percevoir.

La femme se sent généralement manipulée, réprimée et emprisonnée par les murs.

L'homme se sent généralement libre à l'intérieur de certaines limites, des murs ou des règlements, par exemple.

9
RÉPARTITION DE L'ÉNERGIE

Il existe un autre domaine, relié au principe que j'appelle «répartition de l'énergie», dans lequel l'homme et la femme risquent de ne pas se comprendre. L'homme surveille inconsciemment l'énergie qu'il tire de ses réserves de lipides car si ces réserves s'épuisent, il perd toute énergie. Il ne possède pas l'endurance de la femme. (Voir le chapitre 5.) L'homme consacre une partie de son temps à l'exécution d'une tâche, puis il s'arrête. Il épuise son énergie et doit ensuite «se retirer» en lui-même pour récupérer.

L'homme recouvre son énergie de deux façons :

1. Il «retourne à l'intérieur de son corps»; il y arrive généralement en faisant une sieste, ou en dormant longtemps; ou

2. Il se concentre sur une chose en particulier, soit en regardant une émission télévisée ou en lisant un livre.

Au cours de cette période, l'homme émet ouvertement ou indirectement le message suivant : «Ne me dérangez pas! J'ai utilisé toute mon énergie et je dois me retirer en moi-même pour récupérer.» (La femme peut aussi sentir le besoin de se retirer lorsqu'elle est en proie à une fatigue inhabituelle. En général cependant, elle peut recouvrer son énergie tout en continuant d'interagir avec le monde extérieur.)

Voici un autre exemple où l'on voit clairement qu'en présumant qu'hommes et femmes sont semblables, nous nous montrons irréalistes quant aux sentiments et au comportement auxquels nous nous attendons. Lorsqu'un homme collabore avec une femme à un projet, il consacre, consciemment ou inconsciemment, une certaine quantité d'énergie à la tâche, et il a besoin de savoir où débute le projet, où il se continue, et où il peut se terminer. Encore une fois, il s'agit d'une situation qui irrite vraiment la femme : «Pourquoi les hommes doivent-ils toujours connaître la fin? Pourquoi ne pouvons-nous pas simplement entamer le processus, explorer, nous amuser pour ensuite découvrir où ce projet nous mène?»

L'homme arrive difficilement à agir spontanément, car il a besoin de savoir à l'avance à quel moment il manquera d'énergie. Par contre, le métabolisme de la femme et son système lipidique créent en elle une énergie différente de celle de l'homme. En effet, la femme est dotée de réserves de lipides que l'homme ne possède pas. Elle peut se permettre de se reposer un moment pour ensuite dire : «Bon, allons-y!» et s'attaquer à la tâche suivante. Comme l'homme ne peut en faire autant, il s'inquiète beaucoup (sans probablement savoir pourquoi), croyant que son énergie est mal utilisée. Aux yeux de la femme, cependant, l'homme semble se montrer inflexible, entêté, ou paraît même mal se nourrir. (La femme sait que si l'homme se nourrissait tout simplement mieux, il aurait plus d'énergie. En vérité, l'homme pourrait vraiment améliorer son alimentation. Il ne se soucie pas autant qu'elle de préparer des repas équilibrés, pas plus qu'il ne pense à la nutrition.)

La femme dépense beaucoup d'énergie pour se concentrer et elle épuise ses réserves. Au travail, la femme se sent tendue lorsque le patron lui dit : «Voici quelques détails, ne les perdez pas de vue.» La plupart des femmes ressentent un malaise (comparativement aux hommes) à se concentrer longtemps sur un sujet particulier. Ensuite, ayant fini de «se concentrer», elles doivent retourner à l'extérieur d'elles-mêmes pour récupérer. Elles veulent aller se promener, voir un film, ou se détendre d'autres façons. Elles veulent parler, s'exprimer, elles veulent faire quelque chose pour sortir de cette petite boîte qui leur a coûté tant d'énergie. Ce besoin est tout à fait contraire à celui qu'éprouve l'homme de se retirer à «l'intérieur» après avoir travaillé à «l'extérieur» de lui-même.

Que se passe-t-il habituellement le soir à la maison? L'homme rentre du travail et veut se détendre, regarder la télévision, dormir, ou ne rien faire. La femme pourrait lui suggérer d'aller dîner au restaurant. L'homme répondrait probablement : «Pourquoi ne m'as-tu pas dit ce matin que tu voulais sortir ce soir?» La femme, n'ayant pas à se soucier de sa réserve d'énergie autant que l'homme, n'a pas besoin de se montrer aussi prudente que lui en planifiant ses dépenses d'énergie.

Même si elle réussit à «l'ennuyer» jusqu'à ce qu'il se soumette, il a besoin de récupérer avant d'agir. Il lui dit donc : «Donne-moi seulement 20 minutes, chérie, et je me sentirai mieux. Laisse-moi seul.»

Elle lui répond alors : «Bon, je te laisse seul. Comment vas-tu?»

(En fait, lorsqu'un homme demande qu'on le laisse seul, il veut dire : «Je dois me retirer dans ma tête» ou «dans mon corps», selon le mode où il se trouve à ce moment-là.)

Si la femme ne peut comprendre les besoins de l'homme, elle risque de lui dire : «Laisse-moi m'asseoir auprès de toi. Je ne t'importunerai pas», ou encore elle pourrait lui dire : «Pourquoi ne pouvons-nous pas converser pendant que tu te détends?» Elle ne se rend pas compte que toute activité exigeant l'attention de l'homme épuise son énergie. L'homme doit quitter son «centre» même pour converser, ou il doit sortir de lui-même pour réagir au toucher de la femme. La femme peut «entrer» et «sortir» mentalement à sa guise. Lorsqu'il commence à faire trop chaud dans la pièce où elle se trouve, ou si l'atmosphère devient ennuyante, elle quitte tout simplement la pièce. Son corps y reste, mais son énergie la quitte. En fait, la femme s'imagine en train de vivre une autre expérience, probablement dans le but de récupérer assez d'énergie pour tolérer la pièce jusqu'à ce qu'elle puisse la quitter vraiment. Lorsqu'une femme agit de la sorte, l'homme croit qu'elle est frivole ou qu'elle ne peut se concentrer. «Qu'est-ce qui ne va pas chez elle? Pourquoi ne peut-elle pas se concentrer longtemps?» L'homme veut que la femme se concentre afin qu'il puisse savoir si elle est consciente et s'il peut lui faire confiance. L'homme abaisse aussi les autres hommes s'ils ne réussissent pas le test de la «conscience».

Une des premières choses qu'on enseigne à l'étudiant en communication, c'est de capter l'attention de la personne à laquelle il s'adresse. On suppose que, si l'autre personne ne vous accorde pas toute son attention, elle vous dit subtilement que vous n'avez aucune importance. Comme l'homme arrive à se concentrer sur une seule chose à la fois, la concentration est une facette importante de la communication masculine. Lorsqu'un homme entre dans le bureau d'une femme pendant qu'elle est au téléphone, ou qu'elle rédige une note, il «sait» qu'elle le rabaisse. (Il présume que la femme lui accorde moins d'importance qu'à sa conversation téléphonique ou qu'à sa note.) La femme, pour sa part, peut accomplir cinq, six ou dix tâches à la fois. Lorsqu'une femme dit : «Je vous écoute attentivement», tout en continuant de travailler, l'homme répliquera probablement : «Non, regardez-moi. Regardez-moi lorsque vous me parlez!» Il lui semble impossible qu'elle puisse réussir à faire deux choses à la fois. (Voir le chapitre 6.)

Une femme dans un de mes ateliers a compris une facette de la concentration masculine au cours d'un incident qu'elle nous a raconté.

Un après-midi, je regardais le *Super Bowl* à la télévision avec les gars, tout en travaillant sur mon carnet de chèques, en dressant des listes, en tricotant ou en cousant, ou en faisant autre chose. Tous les hommes se sont tournés vers moi et m'ont dit : «Regarde le match ou sors d'ici!»

Aux yeux de ces hommes, elle ne semblait pas vraiment s'intéresser au jeu, car elle ne pouvait sûrement pas faire autre chose en même temps. Ils présumèrent qu'elle méprisait intentionnellement leur réalité. Ils supposaient aussi qu'elle était frivole et qu'elle ne disait sûrement pas la vérité en affirmant qu'elle se concentrait vraiment sur le match.

De plus, l'homme ne peut comprendre comment la femme peut quitter le cinéma ou le salon pour aller aux toilettes pendant que se déroule le moment le plus important d'un film. L'homme attend! Il connaît ses priorités. De plus, sa vessie est plus grande que celle de la femme! Par ailleurs, le comportement «inclusif» de la femme lui permet de saisir le déroulement du film, et elle peut continuer de le «regarder» en allant aux toilettes. Si l'homme ne voit pas le film physiquement, il perd le fil de l'action. Même si la femme n'a pas saisi tous les détails, elle n'a pas l'impression d'avoir perdu quoi que ce soit.

QUI TRAVAILLE LE PLUS DUR?

Supposons qu'un homme et une femme travaillent ensemble pour accomplir une tâche ou réaliser un projet. Elle se donne à 100 p. cent et il en fait autant, mais une fois le projet terminé, l'homme est *vidé*, n'a plus d'énergie et se prépare au repos. Cependant, la femme se conduira probablement très différemment. En effet, en plus d'être plus énergique que l'homme une fois le travail terminé, elle s'est probablement montrée plus volubile et plus mobile que lui depuis le début. Pour ajouter l'insulte à l'injure, elle a probablement accompli plus d'une chose à la fois, comme dans l'exemple du match de football, et une fois le travail terminé, elle est prête à s'amuser ou à entreprendre un autre projet immédiatement. L'homme présume alors automatiquement que la femme n'a pas travaillé aussi dur que lui. Après tout, si elle avait fourni autant d'efforts, elle serait aussi fatiguée que lui.

L'homme rabaisse alors la valeur du travail de la femme, en se fiant à cette hypothèse erronée. Il a dû se concentrer sur la tâche qui l'attendait et le manque d'attention apparent de la femme (à ses yeux à lui) l'a empêché de comprendre comment elle s'y est prise.

Hommes et femmes aimeraient peut-être travailler ensemble plus souvent s'ils pouvaient utiliser les mêmes «outils» ou, encore, s'ils comprenaient comment leurs façons différentes d'entreprendre un projet se complètent réciproquement.

MAUVAISE UTILISATION DE L'ÉNERGIE

Déplacer le canapé est une source classique de mésentente entre hommes et femmes. Cet exemple, l'un de mes favoris, illustre la réalité inclusive/exclusive, la distribution d'énergie et la maîtrise. Chaque fois que je cite cet exemple au cours de mes ateliers, hommes et femmes grognent en se reconnaissant.

Tout d'abord, l'homme demande : «Pourquoi déplacer le canapé?» Comme l'on doit surveiller sa distribution d'énergie, il doit d'abord pouvoir comprendre le besoin de déplacer le meuble. Si l'homme n'est pas convaincu et le déplace de toute façon, il a mal utilisé son énergie. Ce fait éclaire considérablement le credo masculin voulant qu'«on ne répare pas ce qui n'est pas brisé!»

La femme s'introduit alors dans la réalité masculine, en toute innocence, et demande à l'homme de l'aider à déplacer le meuble en question. Il lui répond : «Bien sûr, aucun problème.» Comme il l'aime, il serre les dents, emploie une partie de l'énergie qu'il emmagasine, regarde l'endroit où il faudra mettre le canapé, visualise le déplacement, et finalement déplace le meuble. Début, milieu, fin. Il a accompli la tâche pour laquelle il réservait son énergie. La femme lui dit ensuite : «Je n'aime pas l'effet du canapé, devant la fenêtre, plaçons-le plutôt contre ce mur.»

L'homme commence à se fâcher. Néanmoins, s'il est en assez bonne forme (ni trop tendu ni trop las), il prend une bonne respiration, rajuste son univers, et consacre plus d'énergie (il en avait prévu seulement assez pour faire un déplacement) pour l'aider à placer le canapé où elle veut.

Elle pourrait alors dire : «Je préférerais le remettre au même endroit qu'avant/Cet endroit ne lui convient pas/Nous avons besoin d'un nouveau canapé/Allons-y pour la table maintenant.»

Il répond par un grognement et lui dit : «Quand tu sauras où tu veux placer le... canapé, dis-le moi.» Ou encore : «Où est le papier quadrillé? Pourquoi n'as-tu rien mesuré avant de commencer?»

L'homme se sent frustré lorsqu'il doit se déplacer constamment, car il sait qu'il dépense moins d'énergie en s'adonnant à une activité mentale qu'en bougeant. L'homme aurait probablement mesuré la pièce, le mur et le canapé. Il aurait aussi localisé les prises de courant et mesuré le fil des lampes, afin de s'assurer de ne devoir déplacer le meuble qu'une seule fois.

Il pense que la femme s'est montrée sans égards, égoïste et avilissante. En effet, elle vient de lui faire gaspiller son énergie. Si elle l'avait vraiment aimé, elle aurait réfléchi (mode intellectuel) avant de lui demander son aide (mode physique).

Lorsque je regarde deux femmes en train de déplacer ensemble des objets ou de pendre un tableau, il semble que plus souvent elles déplacent l'objet, plus elles s'amusent. (De plus, elles rient et blaguent tout en travaillant!) Les hommes ne rient certainement pas et ne blaguent sûrement pas non plus en travaillant! Car chaque fois qu'un homme déménage un objet, il doit se retirer en lui-même, redistribuer son énergie, se réorienter et ressortir de lui-même. Rire et s'amuser épuiserait toute l'énergie qu'il avait réservée au déplacement.

La femme n'est pas obsédée par les choses matérielles autant que l'homme. Le déménagement du canapé ne représentait pas un problème pour la femme, car tout ce qui fait partie de son environnement fait partie de son expérience. Elle s'amusait, son monde physique était en mouvement. Cependant, chaque mouvement modifie toute l'orientation de l'homme.

L'homme aménage son appartement selon ses goûts et pourrait ne rien y changer pendant 20 ans. Pourquoi se donner la peine de déplacer une chose quand elle est à sa place? Pour la femme, cette stabilité signifie que tout est fixe, stagnant, dépourvu de créativité, et que rien n'évolue. Elle se sent limitée par tout arrangement physique permanent car son univers n'est pas fixe; tout y bouge et s'y déplace continuellement. Par contre, le monde de l'homme est fixe.

La femme obtient une partie de la sensation de liberté qu'elle désire (sens de la spontanéité, de la joie de vivre) en rendant les choses qui l'entourent vivantes et animées, et en les déménageant. Par conséquent, plus l'homme tente de structurer la vie d'une femme, plus elle se sent dominée, manipulée, opprimée, fâchée et incomprise.

SURVEILLER LA PUISSANCE MUSCULAIRE

Comme nous l'avons souligné au chapitre 5, l'homme doit surveiller son énergie au niveau de son inconscient pour un certain nombre de raisons. En effet, ses muscles striés (plus fibreux que ceux de la femme, donc plus lourds et mieux définis) utilisent l'énergie moins efficacement que ceux de la femme. Les muscles striés permettent d'utiliser la force immédiatement, mais dépensent l'énergie (autrement dit, dégagent plus de chaleur) plus

Absence de concentration

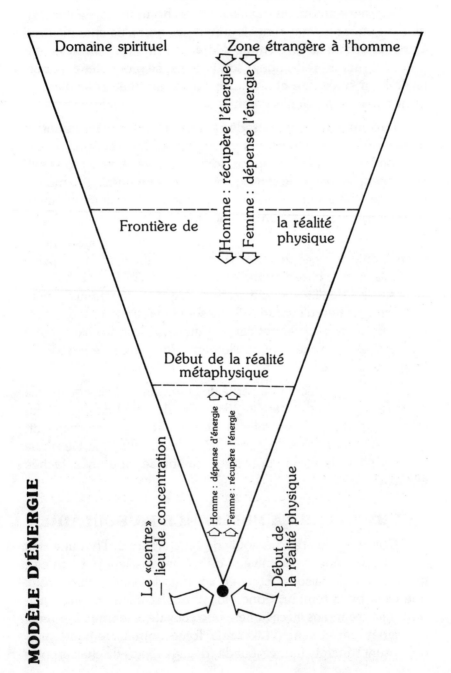

MODÈLE D'ÉNERGIE

rapidement, épuisant donc les réserves énergétiques du corps en moins de temps.

En plus d'emmagasiner différemment les lipides, l'homme et la femme accumulent différents types de glucoses et y accèdent de façon différente. L'homme produit des endorphines pour faire face au stress du moment, mais il s'épuise plus rapidement que la femme en situation de stress prolongé.

BOULEVERSEMENTS DUS AUX CHANGEMENTS

Au cours de mes ateliers, les femmes se plaignent habituellement de la réticence des hommes face au changement. En effet, la plupart des hommes se montrent peu enthousiastes face à tout changement. On comprend maintenant facilement pourquoi les femmes pensent que les hommes sont entêtés. Les hommes croient que les femmes font trop de changements, et que s'ils ne «traînaient pas les pieds», ils risqueraient toujours le danger et la confusion que tout changement représente à leurs yeux. Cependant, les changements ne déroutent pas toujours l'homme, en particulier s'il en est l'instigateur. En effet, si un homme décide de faire un changement, il a déjà calculé l'énergie qui lui sera nécessaire et il l'a déjà allouée. Il maîtrise la situation. Si quelqu'un d'autre prend l'initiative, l'homme doit déterminer si le changement est nécessaire et, s'il juge qu'il l'est ou permet qu'il le soit, il y consacrera l'énergie nécessaire. La question de répartition d'énergie, à elle seule, nous éclaire et nous rassure quant à la source du malaise si fréquent entre personnes de sexe opposé. Se rappeler constamment cette explication et les autres différences qui nous séparent peut aider à résoudre les problèmes qui nous exaspèrent tellement dans notre propre version de Têtebêche et Blondinette ou d'autres personnages moins affables.

RÉSUMÉ DU CHAPITRE

L'homme consacre, consciemment ou non, son énergie à certaines situations en puisant dans les réserves de lipides de son corps, et il surveille la quantité qu'il utilise.

La femme est dotée de réserves de lipides que l'homme ne possède pas; son métabolisme et son système lipidique règlent la dépense et la récupération de son énergie d'une manière très différente de celle de l'homme.

L'homme recouvre son énergie en se retirant à l'intérieur de son corps ou en se concentrant sur une seule chose à la fois.

La femme peut recouvrer son énergie tout en continuant de fonctionner au sein du monde extérieur.

L'homme a besoin d'identifier le début, le milieu et la fin d'un projet. Cette identification fait partie intégrante du processus de répartition de son énergie.

L'homme n'est pas spontané de nature.

La femme a besoin de sortir d'elle-même pour recouvrer son énergie, processus tout à fait contraire au besoin qu'éprouve l'homme de se retirer en lui-même.

La femme n'a pas besoin autant que l'homme de se soucier de ses réserves d'énergie, ni de se montrer aussi prudente que lui en les utilisant.

La femme peut «entrer» et «sortir» mentalement à sa guise; son corps reste en place, mais son énergie s'en va.

L'homme veut que la femme se concentre pour savoir si elle est consciente et s'il peut lui faire confiance.

L'homme ne peut se concentrer que sur une seule chose à la fois, et la concentration est un aspect important de la communication masculine.

La femme peut se concentrer sur plusieurs choses à la fois.

L'homme rabaisse parfois la valeur du travail de la femme en se fiant aux hypothèses erronées qu'il applique aux méthodes de travail.

La plupart des hommes vivent selon le principe voulant qu'«on ne répare pas ce qui n'est pas brisé»!

L'homme dépense moins d'énergie en s'adonnant à une activité mentale qu'en se déplaçant physiquement.

Tous les éléments qui font partie de l'environnement de la femme font aussi partie de son expérience.

La femme se sent limitée par les aménagements physiques permanents parce que son univers est mobile et se déplace constamment.

L'imposition de structures donne à la plupart des femmes le sentiment qu'elles sont dominées, manipulées, opprimées, fâchées et incomprises.

L'homme peut supporter le stress du moment, mais s'épuise plus rapidement que la femme en situation de stress prolongée.

Lorsqu'un homme entreprend un changement, il a déjà calculé l'énergie qui lui sera nécessaire pour l'exécuter.

10

PROVOQUER LES SITUATIONS PLUTÔT QUE DE LES SUBIR

PENSÉE SÉQUENTIELLE ET PENSÉE NON SÉQUENTIELLE

La femme aborde les problèmes de façon globale (utilisant les deux hémisphères de son cerveau simultanément), tandis que l'homme a besoin de diviser le problème en plusieurs parties, et il a tendance à le faire, afin de trouver une solution.

La femme «voit» la situation de façon holistique et l'homme la «voit» d'une façon très linéaire. L'homme use de logique pour faire confiance aux autres, car la confiance s'appuie sur des faits. Pour l'homme, les faits permettent de tirer des conclusions logiques («a», donc «b», donc «c», donc «d») et si la séquence se brise, toutes les conclusions ou décisions subséquentes seront douteuses. L'homme utilise la séquence pour préparer ses arguments, et il devient frustré lorsque la femme contourne ce qu'il considère comme la «réalité».

Habituellement, au cours des réunions d'affaires, un problème surgit parce que les hommes procèdent de façon séquentielle, a, b, c, d, à mesure qu'ils mettent au point leur système logique pour arriver à une solution ou à une conclusion. Ces modèles séquentiels sont importants aux yeux des hommes et leur permettent de s'appuyer sur la «preuve». Les femmes, cependant, peuvent considérer le problème dans son ensemble, choisir au hasard, de façon non séquentielle, a, c, d, b, et dire : «Bon, je sais ce que nous devrions faire.» Les hommes, eux, ne peuvent faire confiance à la solution qu'elles ont choisie «sans processus».

Exemple : Une femme trouve la solution d'un problème cinq minutes après le début de la réunion. Sa solution est exacte, mais les hommes ne la saisissent pas car ils ne sont pas prêts à l'entendre. En effet, ils n'ont pas encore suivi toutes les étapes «a, b, c, d». Les hommes continuent de parler et de discuter et, une heure plus tard, l'un d'entre eux trouvera la même solution que la femme. Tous les hommes diront : «Oui, c'est exactement ce qu'il faut, c'est ce que nous devrions faire.» La femme ne peut s'empêcher de croire que les hommes ne l'écoutent pas parce qu'elle est femme. En fait, les hommes ne l'ont pas écoutée, non pas parce que l'information leur était offerte par une femme, mais plutôt parce qu'ils n'étaient pas prêts à l'entendre. Si un homme avait fait la même suggestion sans suivre une séquence, on ne l'aurait pas écouté.

Si la femme avait écrit sa suggestion au tableau au cours de la discussion, elle aurait pu la souligner (avec délicatesse, j'en suis sûr) afin que les hommes puissent reconnaître son idée. Autrement, les hommes se rappelleront une version différente de sa solution initiale, si jamais elle en revendique le crédit.

Il est important pour la femme de documenter son travail et de s'assurer qu'on lui reconnaisse le mérite qui lui est dû. Ce comportement peut sembler individualiste aux yeux de la femme, et contraire à l'esprit d'équipe, mais c'est ce que les membres masculins de l'équipe feraient et ils s'attendent à ce qu'elle en fasse autant. Ils croient que si elle n'attache pas beaucoup d'importance à son travail, ils ne le devraient pas non plus.

Voici un autre exemple de pensée séquentielle et non séquentielle :

Lui : «Sais-tu où se trouve le restaurant?»

Elle : «Bien sûr, j'y ai déjà mangé.»

Selon la qualité de leur relation, l'homme demandera qu'elle le lui prouve (ce qui peut se terminer par une dispute), ou il évitera de lui poser la question et attendra qu'elle se trompe en chemin (pendant qu'il serre les dents et feint le calme). La femme peut avoir été «entraînée» à être un bon «navigateur» afin d'éviter le problème. Cependant, si elle a été formée par un homme, ou si elle croit qu'il est inutile de «se préparer» ou, encore, si elle ne réfléchit pas et agit naturellement, elle pourrait dire : «Je me le demande. Faut-il tourner ici ou plus loin?»

L'homme présume immédiatement qu'elle ne sait pas où elle va et qu'elle lui a menti en affirmant connaître le chemin. À son avis, comme elle ne savait pas ce qu'elle devait faire à l'étape «b», elle ne saura sûrement pas ce qu'elle doit faire à l'étape «c», ni à l'étape «d». La situation ne peut qu'empirer. Il conclut donc : «Elle a perdu la maîtrise!»

Lorsque la femme a affirmé connaître le chemin du restaurant, elle s'y est tout simplement vue. Même s'ils se perdent, qu'est-ce que cela peut bien faire? Elle sait que tout s'arrangera, et elle fait confiance au processus. De toute façon, redécouvrir le chemin pourrait se révéler amusant, comme une aventure! Elle pourrait même repérer, en route, un restaurant plus prometteur et plus animé. (Cependant, elle ne devrait pas s'attendre à ce que l'homme soit emballé si elle lui suggère un autre restaurant, car il devra modifier son orientation et répondre à plusieurs questions qui lui viendront à l'esprit comme : «Peut-on y utiliser une carte de crédit? Qu'y a-t-il au menu? Suis-je habillé convenablement? Le service est-il acceptable?»)

À cause de la façon dont les hommes répartissent leur énergie et pensent de façon séquentielle, ils ne sont pas aussi flexibles que les femmes lorsque vient le temps de modifier les plans. Grâce aux systèmes établis que l'homme peut utiliser à plusieurs reprises sans risquer trop d'échecs et sans devoir dépenser trop d'énergie, la vie (pour l'homme) se déroule paisiblement. On admire généralement la capacité de l'homme à agir de façon séquentielle (les hommes sont toujours prêts à accomplir des tâches routinières sans poser de questions une fois qu'on leur en donne la raison et qu'on leur révèle la récompense qu'ils peuvent en tirer), mais je me suis rendu compte que son manque de spontanéité provoque habituellement un sentiment de frustration chez la femme. (Toute caractéristique positive a un côté «négatif»!)

Un couple a apporté un autre exemple de pensée séquentielle au cours d'un atelier. La femme avait reproché à son mari de ne jamais aller faire l'épicerie. Il lui avait répondu qu'il se ferait un plaisir d'y aller si elle l'aidait à s'organiser. Elle avait accepté de le faire, mais elle ne s'était pas rendu compte de la portée de son geste. En effet, quelques jours plus tard, il lui a apporté un diagramme détaillé de l'épicerie. Chaque allée était clairement indiquée, de même que l'endroit où se trouvait chaque article sur les étalages. Tout ce qu'il lui demandait, c'était d'organiser sa liste de façon séquentielle dans l'ordre des étalages, afin de l'aider à trouver chaque article sans être obligé de trop se promener d'une allée à l'autre.

Ce système semblait parfaitement sensé à ses yeux à lui, mais son épouse ne le comprenait absolument pas. Elle croyait qu'il avait délibérément mis ce système au point pour se soustraire à cette corvée! Elle n'a jamais utilisé son diagramme et ne lui a plus jamais demandé de s'occuper des emplettes.

Il se dit qu'il s'agissait là d'un autre exemple où sa femme prétendait vouloir quelque chose alors que ce n'était pas vrai. En réalité, il avait été très déçu parce qu'elle n'avait pas saisi l'ingéniosité de son plan et parce qu'elle n'avait pas apprécié le fait qu'il soit prêt à s'occuper des emplettes. Il avait «gaspillé» son temps et son énergie à résoudre le problème, et, dans son «égoïsme», elle avait changé d'idée!

L'homme et la femme s'en voulaient réciproquement à cause de ce conflit qui, sans être grave, avait égratigné leur relation. Plus tard, au cours de l'atelier, le couple a eu l'occasion de rire de la situation jadis reléguée dans la boîte des choses «insolubles». Ils ont été soulagés d'apprendre que l'histoire de l'épicerie trahissait un manque de compréhension et de communication plutôt qu'un manque délibéré d'égards.

DISTORSION DU TEMPS

Pour l'homme, le temps se compose d'une séquence linéaire de moments. Il comporte un point de départ, un milieu et une fin. Selon lui, on peut et on doit le maîtriser.

Pour la femme, le temps est un processus de découverte qui peut même devenir un jeu. Relatif et flexible, il ne doit pas toujours être abordé avec trop de sérieux.

Si un homme demande à une femme d'être prête à 19 heures, celle-ci peut considérer que la question du temps est sans importance, et être prête vers 19 heures (à moins d'avoir été formée par un homme). Pour l'homme, l'heure prévue est très importante, et si la femme n'est pas prête à 19 heures, il a l'impression qu'elle le «mène» et l'ennuie délibérément. La femme sait que si elle avait rendez-vous avec une autre femme à 19 heures, elle pourrait probablement arriver «en retard», car l'autre femme ne s'en offusquerait pas.

Il existe un moment et un endroit pour maîtriser le temps. L'homme peut en apprendre long au sujet de la «manipulation» du temps en regardant agir la femme. Il peut aussi apprendre à se détendre. Comme le temps représente une expérience flexible et négociable pour la femme, il ne faut pas s'attendre à ce qu'elle modifie son comportement pour l'adapter au mode de réalité masculin.

La femme aborde toute tâche du point de vue du processus de la découverte. Par conséquent, il lui est parfois impossible de prédire le résultat d'une tâche donnée en fonction du temps et de l'énergie, même si elle a accompli le travail en question à plusieurs reprises.

LE SYNDROME DU MAGASINAGE

La plupart des femmes perçoivent le magasinage comme une expérience de découvertes. La plupart des hommes, eux, voient le magasinage comme une corvée et non comme une aventure. Lorsqu'un homme magasine, c'est habituellement parce qu'il doit acheter un ou deux articles, et il s'en tient là. Chercher des articles pour lesquels il n'a pas prévu de temps, d'énergie ni d'argent peut se révéler frustrant et exaspérant.

Encore une fois, l'homme dépense plus d'énergie que la femme, car il a constamment besoin de se réorienter, en passant d'un rayon à l'autre, d'une boutique à l'autre et d'un centre commercial à l'autre. Les femmes, elles, se sentent dynamisées par la découverte de nouveaux endroits, de nouveaux bruits et de nouveaux arômes.

Le fait que la femme aime magasiner à cause du déroulement et du processus du magasinage, qu'elle puisse vraiment y consacrer plusieurs jours sans rien acheter et rentrer satisfaite, malgré tout, rend l'homme perplexe. Pouvez-vous imaginer un homme qui, parti acheter un article, des pneus, par exemple, rentre bredouille, heureux et satisfait? («J'ai vu ces superbes pneus Goodyear et de beaux Pirellis, mais il n'y en avait tout simplement pas de la grandeur appropriée! Ce fut vraiment amusant!»)

DÉSIRER OU POUVOIR OBTENIR

Ce que l'homme désire est déterminé par ce qu'il peut obtenir. Autrement dit, l'homme a d'abord besoin de poser un certain nombre de questions au sujet d'un événement avant de savoir s'il veut y participer. Le fait de vouloir faire quelque chose (désirer) et d'être capable de le faire (posséder les ressources nécessaires) n'est pas perçu de la même façon par l'homme et la femme. En effet, pour l'homme, «désirer» et «pouvoir obtenir» vont de pair. Par contre, pour la femme, ces deux aspects ne sont pas liés.

Elle : «Veux-tu assister à une soirée?»

Lui : «Quand? Où? À quelle heure cette soirée commence-t-elle? Qui sont les autres invités? Que mangerons-nous? Devons-nous apporter un cadeau?»

Elle : «Laisse tomber!» ou «Ne peux-tu pas simplement répondre à ma question? Je te demande seulement si tu veux y aller!»

La femme ne se rend pas compte que l'homme essaie *vraiment* de répondre à sa question. Il lui pose toutes ces questions afin de déterminer s'il *peut* y aller. Ensuite, s'il *peut* y aller, il déterminera s'il *veut* aller à la soirée. Si la situation était renversée, la conversation pourrait ressembler à ce qui suit :

Lui : «Veux-tu assister à une soirée?»

Elle : «Oui.»

Lui : «Bon. La soirée a lieu samedi soir.»

Elle : «Oh, je suis occupée samedi.»

Lui : «Alors, pourquoi m'avoir dit que tu voulais y aller?»

La femme ne confond pas «vouloir» et «pouvoir». Dans cet exemple, elle a répondu directement à la question posée. Il ne lui était pas nécessaire de voir si c'était possible, rationnel, ou pratique. L'homme ne lui a pas demandé : «Peux-tu aller à cette soirée?» Il lui a demandé si elle voulait y assister, et elle a répondu à cette question!

Connaître la différence entre «vouloir» et «pouvoir» aide à comprendre davantage pourquoi maris et amis ne prisent guère le «lèche-vitrines». Lorsqu'un homme voit une chose qu'il aime, il traduit ce désir par : «Je crois qu'il est possible qu'un de nous l'obtienne.» Par contre, lorsqu'une femme aperçoit une chose qui lui plaît, il se peut qu'elle ne veuille pas vraiment la posséder. L'homme présume que la femme est sérieuse quand elle dit vouloir une chose, et il suppose aussi qu'elle s'attend à ce qu'il la lui apporte. La plupart des hommes se sentent dépassés par le nombre de choses que les femmes disent vouloir acheter, et ils ont habituellement l'impression de ne pas être à la hauteur lorsqu'ils ne peuvent réaliser tous leurs «désirs». Je suggère aux femmes de se montrer plus prudentes sur ce qu'elles disent devant les hommes. En effet, un homme pourrait croire faire une immense faveur à une femme en lui achetant, pour son anniversaire, l'objet dont elle avait parlé, six mois plus tôt. L'homme prouverait ainsi qu'il était à l'écoute de ses désirs et qu'il s'en souciait, mais elle pourrait avoir oublié qu'elle avait dit aimer l'objet en question.

Voici un autre exemple illustrant le fait de «désirer» par rapport à «pouvoir obtenir». Un jour, j'ai reçu en consultation privée un couple en instance de divorce. Ils avaient déjà décidé de divorcer et certaines personnes de leur entourage leur avaient suggéré ce qui suit : «Du moment que vous divorcez, pourquoi n'essayez-vous pas de le faire amicalement. Consultez Joe Tanenbaum.»

Lorsqu'ils sont venus, j'ai demandé à l'homme : «Quand avez-vous réalisé que c'en était fini de votre mariage? Quand cela vous a-t-il vraiment blessé? Que s'est-il passé?» et il se mit à pleurer.

Il semble que sa femme et lui se promenaient en voiture un jour, avec l'idée de s'acheter une maison. Ils en ont trouvé une qu'elle a qualifiée de «maison de ses rêves», mais ils n'avaient pas assez d'argent pour verser un acompte. Il s'est donc trouvé un second emploi, et a travaillé encore des années avant de pouvoir épargner l'argent nécessaire. Le jour du déménagement, au moment de s'engager dans l'entrée, elle a aperçu une autre maison, au bout de la rue : «Oh, regarde cette maison-là!» Il n'a pas dit un mot, mais il savait qu'elle n'était déjà plus satisfaite de leur nouvelle maison et qu'il serait obligé de commencer à épargner en vue d'acheter une maison plus grande. Il en est resté abasourdi.

Son épouse est restée étonnée d'entendre ces paroles. Elle ne s'était jamais douté de l'effet que ses propos avaient eu sur son mari, ni sur leur mariage. Il n'a pu s'en remettre et l'histoire s'est terminée là.

Les femmes peuvent dire, en toute innocence (voir le chapitre 11), des choses qui n'ont en réalité aucune importance à leurs yeux, et aux yeux d'autres femmes. Mais pour un homme, le commentaire le plus anodin pourrait signifier que, quoi qu'il fasse, la femme ne sera jamais heureuse. Cet homme, en particulier, avait tout de suite commencé à se demander si son épouse allait se plaindre tous les jours, s'il ne pourrait jamais la contenter et s'il devait trouver un second emploi pour lui acheter une maison plus spacieuse. La femme exprime spontanément des choses que l'homme enregistre, emmagasine, et ressort alors que la femme a oublié depuis longtemps ce qu'elle avait dit, car ses paroles avaient peu d'importance pour elle à ce moment-là. Cet exemple illustre un autre genre de situation où l'homme croit que la femme manque d'égards envers lui malgré les efforts qu'il a fournis, qu'elle est exigeante, et qu'elle demande toujours trop sans jamais être satisfaite.

L'homme veut vraiment plaire à la femme et lui donner tout ce qu'elle désire. Pour l'homme, cependant, il semble que la femme exprime toujours ses désirs sans se soucier des efforts qu'il doit faire pour les réaliser.

DÉTERMINER OU DÉCOUVRIR

Nous avons souligné que l'homme aime l'uniformité. En effet, la routine lui évite de gaspiller trop d'énergie à essayer de voir ce qui fonctionne et ce qui ne fonctionne pas. Une fois que l'homme comprend une chose, c'est réglé pour la vie. L'uniformité n'assure-t-elle pas le bonheur? Les règlements représentent, eux aussi, une certaine forme de liberté.

L'homme a besoin de savoir où, quand, comment et pourquoi. Une des choses intéressantes découlant des différences entre «désirer» et «pouvoir obtenir», c'est la distinction entre la détermination et la découverte. La plupart des hommes n'ont pas la flexibilité nécessaire à la découverte. En effet, découvrir exige l'engagement intense des ressources. C'est pourquoi il est plus facile pour l'homme de *déterminer* (contrôle) une chose que de la *découvrir* (processus).

Par contre, pour la femme, découvrir peut représenter un processus de changement amusant et excitant. Quand une femme n'aime pas une chose, même si cette chose «fonctionne», elle la change tant qu'elle n'obtient pas un résultat meilleur ou du moins différent. Mais l'homme supporte ce qui lui déplaît plutôt que de dépenser l'énergie nécessaire pour opérer un changement qui risque d'échouer. Après tout, pourquoi réparer ce qui n'est pas brisé? Quelle perte de temps et d'énergie!

QUI DIRIGE ICI?

L'homme se sent à l'aise seulement lorsque quelqu'un dirige tout. L'autorité dirigeante pourrait être représentée par un autre homme, une femme, un enfant, un animal, un règlement, une procédure, une personne d'autorité, ou une tradition. La *personne* qui dirige n'est pas aussi importante que le fait que *quelqu'un* ou *quelque chose* dirige. Quand il n'y a plus de signe tangible d'autorité, l'homme perd son centre, son sentiment d'être bien ancré.

La structure de l'armée et de la plupart des entreprises (milieux traditionnellement masculins) sert à définir les lignes de contrôle afin de permettre aux hommes de se détendre et de donner un bon rendement. L'homme ne tente pas vraiment de contrôler la femme, il essaie plutôt d'éviter le chaos et la confusion. Pour maîtriser son entourage, l'homme use de sa force, tandis que la femme use de ses intentions.

L'homme met sur pied des armées et des entreprises afin que le contrôle ne soit pas un problème, mais un fait établi. Il définit une direction, une autorité et des structures de communication pour préserver son énergie. En établissant des règlements et en acceptant d'avance de les respecter, il évite aussi de s'abaisser ou de perdre la face. Ainsi, si je suis sergent et que l'autre est simple soldat, nous savons tout de suite comment nous conduire l'un envers l'autre. La femme s'amène et dit : «Il n'existe pas de règlements» ou «Modifions les règlements» et elle s'attend à ce qu'on apprécie son intervention et à ce qu'on l'applaudisse!

MAÎTRISE OPPOSÉE À DIRECTION

Maîtrise

Lorsque je travaille avec des groupes d'hommes, tous se laissent aller, se détendent et s'amusent parce qu'ils savent que je suis aux commandes. C'est mon rôle. Si les hommes me voyaient perdre le contrôle, ils s'agiteraient un peu, et l'un d'eux «émergerait» du groupe et le dirigerait. Si c'était le cas, tous les autres hommes se détendraient de nouveau. Tant que je suis aux commandes, cependant, je dépense mon énergie beaucoup plus rapidement qu'eux. En effet, ils préfèrent me payer pour que j'utilise mon énergie au lieu qu'ils dépensent la leur. Tant que je peux jouer ce rôle, ils ont la vie belle car ils ne sont pas obligés de participer.

Pour revenir à l'exemple du restaurant... si la femme disait à l'homme : «Oh, je sais comment me rendre au restaurant», il croirait qu'elle lui dit en réalité : «Je prends la situation en main et c'est moi qui déciderai.»

La scène suivante illustre très bien un autre exemple de maîtrise :

Elle : «Bon, je sais que tu es fatigué. Je m'occupe de tout. Qu'aimerais-tu manger pour souper?»

Lui : «Peu importe. Prépare ce que tu veux, ça ira.» (Il vient de s'en remettre à elle.)

Elle : «Préférerais-tu manger du poulet ou du veau?»

Lui : «Peu importe. Décide toi-même.»

Elle : «Des pommes de terre ou du riz?»

Lui : «Je mangerais un rat mort. Laisse-moi tranquille.»

La femme ne se rend pas compte qu'il vient de s'en remettre à elle car elle désire à la fois relation, communication et collaboration. À mon avis, le préjugé voulant que l'homme désire toujours contrôler la situation est sans fondement. En effet, il a besoin que *quelqu'un* prenne la situation en main, sinon son énergie est mal *utilisée*.

Lorsqu'une femme affirme avoir la situation en main sans connaître les règles du jeu (selon l'homme), il ne peut lui faire confiance. Ou encore, quand un homme tente de s'en remettre à la femme et que celle-ci refuse, il sera automatiquement forcé (dans sa réalité) de reprendre la situation en main. La femme a tendance à interpréter ce fait comme un comportement «d'homme fort» et, si elle avoue se sentir dominée, il se dit : «Bon, tu as mal compris. Quelles sont les autres choses que tu comprends mal? Tu ne sais pas ce que je ressens vraiment, alors pourquoi devrais-je te faire confiance? Tu n'es pas prête à m'écouter.» La même chose se produit lorsqu'une femme entend un homme dire : «Oui, je comprends», alors qu'elle sait qu'il ne l'a pas vraiment comprise. L'homme ressent la même chose. L'homme et la femme sont tout aussi enclins l'un que l'autre à se montrer entêtés et indignés. Encore une fois, il n'y a pas d'ennemis, ici, seulement d'autres erreurs innocentes!

Direction

Je décris la direction comme «un alignement précis, ou une technique quelconque pour trouver une direction». Lors d'un atelier que je donnais dans le *Midwest*, une femme nous a donné un exemple de direction. Cela s'est produit au cours d'une rencontre pour femmes seulement où nous discutions de maîtrise. Cette femme mesurait environ 1,50 mètre et ne pesait sûrement pas plus de 47 kilos. Elle nous a avoué qu'elle n'aurait jamais raconté cette histoire si d'autres hommes s'étaient trouvés dans la pièce, car elle savait que cela provoquerait un malaise chez la plupart des hommes et chez certaines femmes.

Il semble qu'elle ait toujours voulu être capitaine d'un radeau pneumatique sur les eaux vives d'un fleuve. Elle avait posé sa candidature dans une entreprise maritime et avait remarqué que les radeaux étaient tous dirigés par de grands gaillards. La direction et certains des employés masculins costauds lui ont dit poliment qu'elle était trop petite pour maîtriser et «manipuler» le radeau en descendant le fleuve. À force d'insister, elle les a convaincus de l'accepter pour une période d'essai. Deux ans plus tard, elle était toujours capitaine. En fait, puisqu'elle avait subi moins d'accidents et moins de renversements que tous les autres capitaines, y compris ses collègues masculins bien bâtis, son rendement était considéré comme le meilleur. Lorsque je lui ai demandé comment elle avait pu réussir cet exploit, elle nous a tous prévenus qu'elle allait nous dire la vérité. Mais elle a ajouté que, lorsqu'elle avait tenté de l'expliquer aux hommes, ils ne l'avaient pas crue.

Les capitaines avaient attribué son rendement remarquable au fait qu'elle possédait une «technique» supérieure, ou qu'elle était capable de convaincre les passagers de bien se conduire parce qu'elle était femme. Ce n'était pas le cas, mais elle avait appris à ne plus discuter du sujet avec eux. Elle nous a révélé qu'elle ne possédait que deux techniques. Tout d'abord, lorsqu'elle sentait que le radeau lui échappait ou s'approchait dangereusement des rochers, elle parlait au radeau et aux rochers et leur disait de se méfier l'un de l'autre. D'après elle, cette technique réussissait la plupart du temps. Sa seconde technique (qu'elle employait si la première échouait) consistait à dire au fleuve de ralentir, qu'il allait trop vite.

Je sais que certaines personnes (surtout les hommes) restent assez sceptiques devant cette explication. Mais que se passerait-il si vous admettiez qu'elle disait la vérité? Pouvez-vous imaginer ce que serait votre vie si vous possédiez certains talents qui paraîtraient étranges et déraisonnables aux yeux des autres? Je crois qu'après quelque temps, non seulement vous arrêteriez de parler de vos talents, mais vous commenceriez vraiment à douter de vous-même et finiriez par oublier que vous les aviez déjà possédés.

Cette femme capitaine de radeau ne pouvait évidemment pas user de «force» contre le fleuve, mais elle pouvait utiliser son intention. Comme la direction ne s'intègre pas facilement aux modes physique ni intellectuel, l'homme comprend difficilement cette notion. La direction n'est pas uniforme, ni fiable, ni mesurable. Elle ne résiste donc pas à la discussion «rationnelle».

L'homme, cependant, apprécie vraiment les résultats. Cette femme capitaine de radeau aurait pu répondre aux hommes de la façon suivante :

«La manière dont j'obtiens mes résultats, vous pouvez y croire ou pas, vous pouvez la comprendre ou pas : il reste que je peux vous montrer les statistiques. J'imagine que vous aimeriez savoir comment améliorer vos capacités de navigateurs.»

ou

«La nature vous a dotés de muscles pour diriger le radeau tandis qu'elle m'a dotée de direction. Je crois que nous nous en tirons tous assez bien.»

Au cours d'un atelier, une autre femme nous a raconté une expérience judicieuse pour nous. Quand elle travaillait pour le gouvernement, on lui a montré une méthode appelée «gestion par objectifs» (G.P.O). Tous les ans, on lui disait ce qu'elle devait accomplir et on l'informait des étapes à suivre pour atteindre tous les objectifs. Elle obtenait toujours les résultats attendus, mais elle a dit ne pas suivre vraiment toutes les étapes requises pour atteindre les buts fixés. (Elle a avoué qu'elle s'en était toujours sentie coupable.)

Lorsqu'elle a quitté son poste au gouvernement pour se joindre à un cadre supérieur féminin dans une entreprise comptant 15 femmes, elle s'est sentie très déconcertée. En effet, au cours de la première réunion bimensuelle à laquelle elle a participé, toutes ont pris place à la table de conférence et ont parlé de tout et de rien. On n'avait pas établi de programme et il arrivait souvent que certaines parlent en même temps. Toutes les «règles de l'ordre» qu'elle avait apprises en travaillant au gouvernement, sur la tenue de réunions et les résultats escomptés, n'existaient tout simplement pas dans cette nouvelle entreprise, et il lui semblait qu'il lui serait impossible d'obtenir des résultats positifs ou d'accomplir quoi que ce soit. À mesure qu'elle observait la façon dont les femmes semblaient se disputer, ou parfois simplement bavarder, elle s'est rendu compte que ce processus avait un certain élan et un certaine valeur. Ainsi, à la fin de la réunion, les femmes avaient accompli plus de travail et obtenu davantage de résultats qu'elle ne s'y attendait, à son grand étonnement. Plus tard, elle s'est aperçue que si un homme avait assisté à cette réunion, il aurait considéré que ce processus, pourtant très productif, témoignait d'un manque total d'organisation, et ça l'aurait rendu fou!

CHARMER LES GENS DU SEXE OPPOSÉ

Il arrive parfois que les hommes disent : «Je ne sais pas ce qui est arrivé au romantisme de notre relation. Je ne sais pas pourquoi nous faisons l'amour moins souvent.» La suggestion que je leur fais est assez simple. Je leur propose, en effet, de recommencer à «fréquenter» leur compagne, de faire tout ce qu'ils faisaient au début de leur relation : lui offrir des fleurs, lui dire des mots d'amour au téléphone, créer des moments spéciaux dans des endroits spéciaux.

Souvent, l'homme se marie pour mettre fin aux fréquentations. En effet, fréquenter une amie coûte très cher financièrement, émotionnellement et physiquement. L'homme ne peut consacrer autant d'énergie aux fréquentations pendant très longtemps. Donc, une des raisons qui l'incitent à se marier, c'est de mettre fin à cette dépense d'énergie.

Pour sa part, la femme se dit : «Oh, nous sommes mariés, c'est le temps de nous amuser!» Mais l'homme a fini de s'amuser. La décision a été prise. Il dit : «Bon, nous voilà mariés. Voilà une question de réglée. Oublions ces histoires de fréquentations et tout le reste. Je peux maintenant retourner au travail.» Il est prêt à reprendre la vie «normale» et à retrouver les éléments de la vie qu'il connaît.

Je me suis aperçu, au fil des ans, qu'un homme épouse une femme parce qu'il a décidé qu'elle *était la bonne*. Il l'aime telle qu'elle est, et elle n'a pas besoin de changer. Quelques mois ou quelques années plus tard, l'homme voit la femme commencer à modifier sa vie, son style, et ainsi de suite, et il se sent désorienté. En effet, il l'a épousée pour ce qu'elle était, et non pour ce qu'elle allait devenir. Il voit le changement qui s'opère en elle comme l'éclatement de la personnalité sur laquelle ils s'entendaient tous deux au moment où il a accepté de l'aimer. En fait, il est possible qu'il n'aime pas son épouse ainsi transformée, et il peut même se sentir prisonnier de leur union. La femme, elle, épouse l'homme pour ses *possibilités*. Elle s'attend à ce qu'il évolue et change, et se sent frustrée lorsqu'il ne le fait pas. Il peut avoir l'impression qu'elle lui a menti au sujet de son amour lorsqu'elle l'a épousé. Il est resté le même depuis leur mariage. Pourquoi ne l'aimerait-elle plus comme avant?

L'un des sujets les plus intéressants dont nous discutons au cours d'ateliers réservés aux femmes, c'est la question sexuelle. (Les hommes discutent aussi de la question sexuelle au cours de leurs séances, mais sans le détail, l'humour et le délice que les femmes expriment quand on leur donne l'occasion de converser ouvertement, en l'absence d'hommes.)

Un des nombreux sujets dont les femmes discutent est le comportement sexuel de l'homme, qui se révèle souvent ennuyant.

Comme dans la plupart des cas, l'homme recherche les techniques qui produiront certains résultats, ou les règles qui seront toujours efficaces. Pour l'homme, les relations sexuelles représentent une autre tâche. (Le mot «tâche» n'a pas la même connotation pour l'homme que pour la femme. Rappelez-vous, l'homme définit tout de façon à déterminer les exigences et à les comprendre.) Les relations sexuelles représentent habituellement une des tâches les plus agréables que doit accomplir l'homme, mais cette tâche comporte aussi un point de départ, un milieu et une fin. Le «départ» se produit lorsqu'un des deux est prêt à faire l'amour, ou lorsque les deux le sont; le «milieu» se compose de ses techniques, la «fin» est l'orgasme (habituellement celui de l'homme).

Une fois que l'homme a établi son intérêt, il tentera d'utiliser une technique qui s'est révélée efficace dans le passé. La différence entre un bon amant et un homme qui ne recherche que sa propre satisfaction sexuelle ne tient habituellement qu'au nombre de techniques qu'il emploie.

Une fois que l'homme a découvert les endroits «secrets» du corps de la femme, il leur consacre toute son attention avec vigueur. À mon avis, 99 p. cent des hommes se contenteraient du fait qu'*un seul endroit* de leur corps reçoive toute l'attention de la femme, sans qu'elle ait besoin de faire des manières! Quant à la femme, non seulement possède-t-elle un plus grand nombre de zones érogènes que l'homme, mais ces zones peuvent changer d'une nuit à l'autre, et même d'un moment à l'autre. Ce fait déroute vraiment les hommes. «Si la technique était efficace hier, elle devrait l'être encore aujourd'hui, non?» Si «l'endroit» ne fonctionne pas cette fois-ci, l'homme s'imagine que la femme pense à autre chose, ou il croit qu'elle lui a menti la dernière fois, lorsqu'elle lui a dit qu'elle aimait ce qu'il faisait.

La dernière chose que souhaite une femme au cours d'un intermède romantique ou spontané est d'avoir à se montrer rationnelle pour guider l'homme vers les parties sensibles de son corps. Cependant, la femme peut vouloir parler au cours de leur relation sexuelle. Je dis aux femmes : «Ne vous attendez pas à pouvoir le faire. C'est très difficile pour l'homme.» La plupart des hommes ayant appris à le faire sont en fait des «voleurs de cycles». Autrement dit, tout d'abord, ils pensent à la relation sexuelle, et ensuite, ils réfléchissent à ce qu'ils vont dire. Mais ils doivent recommencer à penser à la relation sexuelle pour ne pas risquer de perdre tout intérêt. Je conseille aux hommes de dire aux femmes qui veulent parler au cours de leurs relations sexuelles : «Un instant, je suis en train de faire mon travail.» Selon la qualité de la relation, ces paroles pourraient provoquer une belle dispute ou un éclat de rire.

L'homme sait qu'il a «terminé» dès qu'il a atteint l'orgasme. Les femmes sont non seulement capables d'atteindre l'orgasme à plusieurs reprises, mais elles peuvent aussi se contenter du simple romantisme, de l'étreinte, de l'échange d'un plaisir intime. La femme n'a pas nécessairement besoin d'atteindre l'orgasme chaque fois qu'elle fait l'amour pour tirer satisfaction de la relation sexuelle. L'homme comprend difficilement cela, car il ne serait pas satisfait s'il n'atteignait pas l'orgasme. (Si l'homme était capable d'atteindre l'orgasme à plusieurs reprises, il ne sortirait probablement jamais du lit pour aller travailler.)

Pour l'homme, les relations sexuelles, comme tout le reste, comportent des règles et des paramètres. Pour la femme, il s'agit d'explorations, de découvertes et d'aventures. Nous nous retrouvons encore une fois devant des façons différentes de percevoir la réalité!

RÉSUMÉ DU CHAPITRE

La femme aborde les problèmes globalement en utilisant les deux hémisphères de son cerveau simultanément.

L'homme a besoin de diviser les problèmes en plusieurs éléments afin de trouver une solution.

La femme «voit» de façon holistique tandis que l'homme «voit» de façon très linéaire.

L'homme use de logique pour déterminer s'il peut faire confiance à d'autres, car, à ses yeux, les faits aident à augmenter sa confiance.

L'homme agit de façon séquentielle (a, b, c, d), car les motifs séquentiels lui permettent de faire confiance aux «preuves».

La femme agit de façon non séquentielle (c, a, d, b), et peut contourner les étapes inutiles pour trouver des solutions.

Il est important pour la femme de documenter son travail et ses idées.

Les méthodes «masculines» pouvant être utilisées à plusieurs reprises, entraînant le moins d'échecs possible et impliquant une perte d'énergie minime rendent la vie plus facile à l'homme.

Pour l'homme, le temps se compose d'une séquence linéaire de moments, comportant un point de départ, un milieu et une fin. De plus, à ses yeux, on peut et on doit maîtriser le temps.

Pour la femme, le temps est un processus de découverte à la fois relatif et flexible. Il ne doit pas être abordé avec trop de sérieux et on peut prendre plaisir à le manipuler.

La plupart des femmes abordent toute tâche du point de vue du processus de la découverte.

Pour l'homme, «désirer» et «pouvoir obtenir» sont reliés tandis que la femme les perçoit comme deux choses distinctes.

L'homme veut plaire à la femme et la plupart des hommes se sentent accablés par le nombre de choses que la femme dit vouloir acheter. De plus, il semble que la femme demande des objets sans se soucier de ce que l'homme doit faire pour les obtenir.

Il est plus facile pour l'homme de *déterminer* une chose que de la *découvrir*.

Pour la femme, toute découverte peut représenter un excitant processus de changement.

L'homme supporte ce qu'il n'aime pas au lieu de dépenser de l'énergie pour risquer tout changement qui pourrait échouer.

L'homme ne peut se sentir à l'aise qu'au moment où quelqu'un ou quelque chose maîtrise la situation.

L'homme use de sa force pour tout maîtriser, la femme se sert de son intention.

L'homme établit maîtrise, autorité et voies de communication afin de préserver son énergie.

Lorsqu'un homme essaie de confier la direction à une femme et qu'elle la refuse, il est automatiquement obligé (dans sa réalité) de prendre la situation en main.

L'intention n'est pas uniforme, ni fiable ni mesurable, et, par conséquent, elle est sujette à l'incrédulité «rationnelle».

Bon nombre d'hommes se marient pour réduire la perte d'énergie occasionnée par les fréquentations.

L'homme recherche les techniques qui produiront des résultats, et (ou) les règlements qui se révéleront toujours efficaces.

La femme possède un plus grand nombre de zones érogènes que l'homme, mais ces zones peuvent changer du jour au lendemain, ou même d'un moment à l'autre.

Pour tirer satisfaction d'une relation sexuelle, la femme n'a pas nécessairement besoin d'atteindre l'orgasme chaque fois.

Pour l'homme, les relations sexuelles, comme le reste, comportent des règles et des paramètres.

Pour la femme, les relations sexuelles se composent d'explorations, de découvertes et d'aventures.

11

COMMUNICATION

On attribue principalement à la formation du corps calleux, ce groupe de fibres nerveuses reliant les hémisphères gauche et droit du cerveau, l'émergence de la conscience chez le foetus en pleine croissance. Comme nous l'avons déjà souligné, le corps calleux de la femme renferme un plus grand nombre de fibres nerveuses que celui de l'homme, et certaines expériences ont permis de démontrer que les deux hémisphères du cerveau de la femme peuvent renfermer 40 p. cent de plus d'éléments connecteurs que les hémisphères masculins. Il semble que l'homme ne reçoit pas toute l'information que reçoit la femme. La vision de celle-ci, son ouïe, son sens du goût et son odorat sont tous plus raffinés que ceux de l'homme. Toutes les formes de sensibilité sont plus développées chez la femme que chez l'homme, et l'information qu'elle reçoit est aussi emmagasinée dans son cerveau de façon plus diffuse. Le cerveau de la femme est moins centralisé et moins localisé et, lorsqu'elle y puise l'information, elle peut avoir accès aux deux hémisphères au moins 40 p. cent plus facilement que l'homme.

Les éléments connecteurs du cerveau de l'homme donnant accès au siège de la communication et de la parole ne sont pas aussi perfectionnés que ceux de la femme. Après avoir travaillé pendant huit heures, l'homme rentre à la maison et sa femme lui demande : «Comment était ta journée, chéri?» Il répond : «Bien.» Tout simplement. La femme a l'impression qu'il refuse exprès de communiquer. Mais pour un autre homme, ce «bien» en dit très long. L'autre homme étudierait la façon dont il répond «bien» : le temps qu'il met à répondre, l'air qu'il affiche en le disant. Tous ces signaux objectifs déterminent ce que l'homme veut dire. Une fois que l'homme a répondu «Bien», la femme pourrait lui dire : «Bon, tu as commencé à parler, continue maintenant», mais l'homme n'a rien *d'autre* à dire!

D'un autre côté, une femme peut travailler pendant une heure, rentrer à la maison, et si l'homme lui demande «Comment était ta journée?», elle peut continuer d'en parler pendant plus de huit heures. Elle a reçu presque la moitié moins d'information que l'homme par l'entremise de ses cinq sens, mais elle en a retenu une plus grande partie, qu'elle peut récupérer plus rapidement et plus efficacement que lui. C'est pourquoi elle en a automatiquement plus long à dire! On peut dire qu'en général les femmes parlent plus souvent que les hommes. Nous pouvons désormais cesser de juger et commencer à mieux comprendre pourquoi. Le fait est que la femme communique plus souvent et plus facilement que l'homme. On juge habituellement que la femme parle trop ou que l'homme ne parle pas assez.

SUJETS POPULAIRES

Mark Sherman, professeur en psychologie, et Adelaide Haas, professeure en communications au State University de New York, ont réalisé une étude très intéressante à partir des réponses différentes fournies par des hommes et des femmes sur 22 sujets de conversation populaires. On a présenté à ces hommes (110) et à ces femmes (166), âgés de 17 à 80 ans, un questionnaire sur les conversations qu'ils avaient avec des amis du même sexe. Selon cette étude, les sujets de conversation les plus courants, chez les hommes comme chez les femmes, étaient le travail, le cinéma et la télévision.

On s'est aperçu que les femmes consacraient plus de temps aux sujets comme les relations, la famille, la santé et la reproduction, le poids, l'alimentation et les vêtements. Les hommes, pour leur part, passaient plus de temps à discuter de musique, d'actualité et de sports. Les conversations des femmes portaient sur des sujets plus personnels et plus émotionnels. Seulement 27 p. cent des hommes ont dit qu'ils parlaient d'émotions entre eux.

Exception faite des vedettes du sport et des personnalités, les femmes parlaient plus souvent d'autres femmes que les hommes, d'autres hommes.

L'étude a vraiment démontré qu'à cause de leur sexe, hommes et femmes ont une conception différente de ce qui représente des domaines importants. Lorsqu'un sujet n'intéressait pas l'un des deux sexes, on disait habituellement qu'il était soit ennuyant soit inutile.

L'étude n'a pas attribué ces différences au sujet lui-même, mais bien au déroulement de la conversation et au but visé. Les hommes disaient converser entre eux pour retrouver une certaine liberté, pour pouvoir s'amuser, et pour créer des liens de camaraderie. Lorsqu'on leur a demandé ce qu'ils appréciaient le plus dans leurs conversations masculines, ils ont répondu le plus souvent : le fait de ne pas se sentir obligés de surveiller leurs paroles. De plus, les hommes avaient l'impression que leurs conversations se déroulaient plus rapidement, qu'elles étaient plus humoristiques et semblaient plus pratiques que celles des femmes. Les hommes passaient le temps dans une atmosphère très décontractée pour apprendre, avec d'autres hommes, les caractéristiques de leurs voitures ou comment gérer leur argent.

Lorsqu'on a demandé aux femmes ce qu'elles aimaient le plus dans leurs conversations, plusieurs ont mentionné la tranquillité et la camaraderie, à l'instar des hommes. Cependant, les définitions de ces termes différaient considérablement. Pour les femmes, tranquillité et camaraderie signifiaient empathie et compréhension (qui exige une *écoute attentive*, de même que la capacité de communiquer). Les femmes voulaient briser leur solitude et elles aimaient le sentiment de partager entre elles et de se comprendre sans devoir se préoccuper des connotations ou des sous-entendus sexuels.

Les femmes ont souligné que la sensibilité aux émotions tenait une place importante dans leurs conversations féminines, alors que les hommes, entre eux, y attachaient peu d'importance. Pour les femmes, converser avec d'autres femmes n'était pas seulement un plaisir, mais aussi un véritable besoin. Alors que 63 p. cent des femmes affirmaient que converser avec d'autres femmes leur était important ou nécessaire, seulement 43 p. cent des hommes partageaient cet avis sur leurs conversations masculines.

Les femmes téléphonaient plus souvent à leurs amies pour le simple plaisir de bavarder. Seulement 14 p. cent d'entre elles ont dit ne téléphoner que pour une raison précise, comparé à plus de 40 p. cent chez les hommes.

En général, les hommes s'attendaient à ce que les femmes agissent envers eux de la même façon «superficielle» (non émotive) et rapide que leurs amis. Leurs conversations devaient consister en un échange d'informations pratiques et se révéler amusantes. Par contre, les femmes s'attendaient à ce que les hommes s'intéressent aux questions plus personnelles et plus émotives, et non aux questions financières dont les hommes semblaient toujours avoir besoin. Les femmes s'attendaient aussi à ce que leurs conversations soient «amusantes», mais il est évident que leur définition de ce mot diffère de celle des hommes.

DIALOGUES

Toutes les informations recueillies au cours de mes ateliers confirment que la femme s'attend à ce que toute conversation soit pratique et amusante, mais qu'elle espère aussi en tirer un important soutien émotif dans la mesure où elle tente de se comprendre et de comprendre les autres. Lorsqu'une femme s'engage dans une relation intime avec un homme, elle s'attend à pouvoir se montrer ouverte (par conséquent, vulnérable). Elle présume qu'elle n'a pas à craindre d'être incomprise, et elle commence à partager ses sentiments avec son nouveau partenaire masculin comme si elle s'adressait à sa meilleure amie. En général, cependant, elle n'obtient pas les réactions escomptées. Ainsi, au lieu de lui permettre de se sentir mieux, l'homme lui cause un malaise. En effet, il a tendance à se montrer direct et pratique, alors qu'elle demande surtout qu'on l'écoute avec empathie. Elle s'attend à ce qu'il l'écoute comme le ferait une femme (ou comme elle l'écouterait s'il lui parlait) : elle éprouve donc une certaine surprise et une certaine colère face à son approche à «solution immédiate». Elle interprète l'attitude pratico-pratique de l'homme comme un rejet ou encore, elle croit qu'il fait une remarque au sujet de son intelligence ou de l'importance qu'il lui accorde. À partir de sa réalité, il lui parle comme il s'attend à ce qu'elle (ou son meilleur ami) lui parle.

Évidemment, la femme est aussi victime de cette incompréhension au travail : elle s'attend que, une fois relations et amitiés établies, elle puisse se montrer vulnérable en compagnie de l'homme. Après quelques expériences difficiles, elle apprend à se protéger contre les hommes et les femmes formées par des hommes.

ATTIRER L'ATTENTION

La plupart des professeurs disent que les filles participent aux cours autant que les garçons et qu'ils les interrogent aussi souvent. Cependant, une étude qui a duré trois ans, intitulée «Sexisme dans les salles de classe des années 1980», a montré que ce n'est pas le cas : les garçons dominent en classe par leurs interventions. Au cours de l'étude, on a présenté aux professeurs et aux administrateurs une discussion filmée dans une classe, et on leur a demandé qui parlait le plus souvent dans ce film. Presque tous les professeurs ont répondu que c'était les filles. En réalité, les garçons parlaient plus souvent que les filles dans une proportion de *trois contre une*. Même les éducatrices n'ont pas été capables de détecter ces différences attribuables à l'appartenance sexuelle des enfants jusqu'à ce qu'elles comptent les enfants qui parlaient et ceux qui se contentaient d'écouter, en leur attribuant des codes. Peu importe le sujet discuté — les langues et le français ou les maths et la science — les garçons bénéficiaient constamment d'une plus grande attention de la part du professeur.

La recherche a aussi démontré que les garçons se montraient plus sûrs d'eux en classe que les filles et qu'ils étaient *huit fois* plus enclins qu'elles à donner les réponses. Alors que les filles restaient tranquillement assises en levant la main, les garçons captaient littéralement l'attention du professeur. (Cette situation vous rappelle-t-elle vos réunions professionnelles? Vos réunions sociales? Vos rencontres familiales?)

Au début du primaire, les filles devancent les garçons en lecture et en arithmétique mais les garçons obtiennent des notes supérieures à celles des filles, dans ces deux matières, à la remise des diplômes.

Quand on a demandé aux filles le pourquoi de leurs piètres résultats, elles ont attribué leur échec à certains facteurs internes comme leurs capacités, au manque de préparation, ou encore au fait qu'elles n'avaient pas compris les questions. Toutes ces déductions étaient de nature inclusive. Les garçons, pour leur part, ont attribué leur échec à certains facteurs externes comme la malchance et la distraction, ou au fait que l'examen n'avait pas été donné correctement. Toutes ces justifications étaient de nature exclusive.

ATTISER LA FLAMME DU BLÂME

Quand un homme veut résoudre un problème, il commence par regarder autour de lui pour en identifier la cause, car il se sert de la réalité objective pour déterminer la cause et l'effet. Cependant, lorsque l'homme regarde autour de lui, la femme se sent habituellement accusée ou blâmée, car elle regarde toujours d'abord à l'intérieur. «Qu'est-ce que je fais de mal?» «Est-ce que je l'importune trop?» «Comment puis-je m'améliorer?»

Du point de vue de l'homme, s'il dit : «C'est de ta faute. Résous le problème toi-même», elle n'a qu'à le faire! Il n'a plus à s'en mêler, et elle vient de lui éviter l'ennui de s'en occuper.

Comme la femme regarde à l'intérieur plus volontiers et plus rapidement, l'homme croit qu'elle a pris la situation en main et qu'il n'a plus à s'en préoccuper. La femme, cependant, se trompe en présumant que son partenaire s'examine intérieurement pour découvrir comment il contribue au problème. Si elle ne peut trouver la solution toute seule, elle tentera d'obtenir une aide extérieure et décidera ce qu'elle doit faire. Si elle veut que l'homme regarde à l'intérieur de lui-même, la femme doit réagir «objectivement» aux accusations qu'il a formulées (et au fait qu'elle n'a pas trouvé la solution). Ces hypothèses erronées se traduisent généralement de la sorte : 1) il manque d'égards envers moi et n'est pas prêt à avouer sa culpabilité; 2) elle manque d'assurance car elle se sent si facilement fautive.

DYNAMIQUE DES DÉFINITIONS

Les mots et le langage que les hommes et les femmes utilisent sont très différents. Les hommes se comprennent mieux entre eux, les femmes également. Dans les conversations entre personnes de sexe opposé, une bonne partie du contenu nous échappe, parce que nous définissons automatiquement les mots de façons différentes.

Par exemple, «engagement», «responsabilité», «vente» et «occasion» sont des mots chargés de sens, et ils sont compris différemment selon les contextes culturels.

Les dictionnaires sont une invention de l'hémisphère gauche (typiquement masculin) servant à manier des notions et des abstractions complexes. Les dictionnaires aident les hommes à trancher des discussions rationnelles car les définitions dispensent de se fier à l'intuition ou à la «signification» de ce qui est dit.

Si votre vocabulaire ne contient aucun mot correspondant à l'expérience personnelle d'un sentiment, d'une attitude ou à une expérience physique, vous aurez évidemment de la difficulté à établir un rapport avec ce mot. Par exemple, si vous n'avez jamais entendu parler de la neige ou d'une autre forme d'eau gelée, et si vous n'y avez jamais touché, il serait très frustrant pour nous deux que j'essaie de vous la décrire. Je pourrais me sentir justifié de vous qualifier de personne naïve, ignorante, ou même stupide.

Bon nombre d'orateurs connaissent cette différence de communication lorsqu'ils se présentent devant un auditoire composé de femmes, ou d'hommes ou devant un auditoire mixte. L'information est la même, mais il leur faut s'adresser à l'auditoire d'une manière complètement différente pour «toucher» les personnes des deux sexes. Lorsque je parle à partir d'un point de vue masculin, les hommes me comprennent, mais bon nombre de femmes (sinon toutes) sont désorientées. Si je parle du point de vue féminin, elles me comprennent immédiatement, mais les hommes deviennent désorientés, ennuyés ou frustrés. Quand je m'adresse à un auditoire mixte, la moitié des participants se sentent probablement frustrés et insatisfaits. La dynamique est radicalement différente (et habituellement plus agréable) si les groupes sont formés de gens du même sexe. Cependant, on peut surmonter ces différences en rééduquant les gens et en les formant.

Au cours des colloques mixtes, on peut habituellement rencontrer des hommes qui se sentent désorientés face à une expérience que je décris aux femmes. Celles-ci peuvent établir un rapport avec le sujet, mais les hommes attendent et essaient de comprendre le sujet que les femmes assimilent. Certains hommes ont déjà accusé les femmes de comploter pour les désorienter. Chaque fois qu'une femme a tenté d'expliquer aux hommes le sujet dont nous discutions, ils se sont tout simplement sentis encore plus frustrés. Cette frustration démontre notre incapacité à comprendre des expériences que nous ne pouvons absolument pas imaginer nous-mêmes. La même confusion se produit chez les femmes lorsque je décris une expérience masculine. Les femmes présument que les hommes et moi tentons délibérément de *ne pas* décrire l'expérience d'une façon qui leur permettrait de la comprendre.

LES FEMMES ET LA COMMUNICATION

Doreen Kimura et Jeannette McGlone, chercheures du Western Ontario's University Hospital, ont étudié les différents effets des lésions cérébrales (causées par des tumeurs et des blessures) chez les gauchers masculins et féminins. Selon leurs informations, les femmes sont moins sujettes aux lésions cérébrales que les hommes, car le cerveau masculin a des hémisphères très spécialisés. Les lésions affectant l'un ou l'autre des hémisphères cérébraux de l'homme entraînent presque toujours la perte du langage (gauche) ou des capacités spatiales (droit). Comme le cerveau de la femme n'est pas organisé de la même façon, les lésions cérébrales qu'elle subit ne provoquent pas aussi souvent que chez l'homme une perte de capacités langagières ou spatiales. L'étude a révélé aussi que les centres cérébraux reliés au langage sont répartis différemment chez l'homme et la femme.

En se servant de gaz radioactif, Ruben Gur, scientifique israélien, a démontré que le cerveau de l'homme et celui de la femme ne sont pas constitués de la même façon et que le sang y est acheminé différemment au cours de certaines tâches.

Les femmes obtiennent des résultats supérieurs dans presque toutes les activités qui requièrent l'usage de mots (facilité d'expression, raisonnement verbal, écriture et lecture). La femme a aussi une meilleure mémoire que l'homme pour le vocabulaire et les langues. On trouve trois fois plus d'hommes que de femmes dans les cours de rattrapage en lecture.

La moindre lésion cérébrale lors de l'accouchement ou après la naissance a des conséquences plus graves chez les garçons que chez les filles. En effet, les lésions cérébrales se produisent habituellement dans l'hémisphère gauche, soit celui dont l'organisation n'est pas aussi élaborée chez le garçon. En général, les capacités visuelles et spatiales (situées dans l'hémisphère droit) ne sont pas affectées, mais l'hémisphère gauche l'est, entraînant des difficultés de langage. Les garçons risquent de souffrir de quatre à cinq fois plus souvent que les filles de troubles et de difficultés de langage.

L'incidence du bégaiement est cinq fois plus grande chez les garçons : les garçons risquent plus de bégayer (5 contre 1) lorsque l'hémisphère gauche perd la maîtrise de la parole. Il y a aussi quatre fois plus d'enfants autistiques chez les garçons que chez les filles, et ces garçons manifestent souvent une absence totale d'aptitudes reliées au langage dans l'hémisphère gauche. De plus, les garçons risquent grandement de souffrir de deux troubles de développement : l'aphasie (difficulté extrême d'apprentissage de la parole, dans une proportion de cinq contre une) et la dyslexie (difficulté extrême d'apprentissage de la lecture et de l'écriture, dans une proportion de six contre une).

COMMENT L'HOMME ABORDE LA COMMUNICATION

J'ai identifié trois étapes que traverse l'homme pour communiquer avec les autres. Tout d'abord, il réfléchit, ensuite il emmagasine et, enfin, il communique.

Réflexion

L'homme met le problème ou la situation «en veilleuse». S'il peut résoudre le problème sans trop s'y attarder ou sans trop dépenser d'énergie, il prend de l'avance. Il attend de voir si le problème disparaîtra ou s'il peut se résoudre, en y consacrant le moins d'énergie possible. (Réfléchir n'est pas la même chose que penser.) L'homme n'agit pas, à moins qu'il ne puisse faire autrement. La réflexion peut durer un moment ou plusieurs années. Pendant qu'il réfléchit, l'homme juge qu'il n'est pas encore utile ni nécessaire de communiquer. En effet, si le problème se résolvait de lui-même, il aurait «gaspillé» son temps et son énergie (du point de vue masculin) s'il s'était donné la peine de communiquer. Si le problème ne se résout pas au cours du processus de réflexion, l'homme passe à l'étape suivante.

Emmagasiner/enfouir

L'homme emmagasine habituellement les questions que la réflexion ne peut résoudre, ou il les «enfouit» dans son corps. Les résultats de cette deuxième étape ne sont pas surprenants. En effet, le nombre d'hommes souffrant de maladies dues au stress comme les maladies cardiaques, les ulcères et autres problèmes physiques, dépasse de beaucoup celui des femmes. L'homme meurt, en moyenne huit ans plus tôt que la femme, à cause d'une des 15 principales maladies mortelles. Malgré les statistiques démontrant qu'il aurait avantage à communiquer, il lui semble toujours que la solution la plus facile consiste à taire ses problèmes. La plupart des hommes négligent les premiers signes indiquant que leur corps a besoin d'attention. Le corps de l'homme a évolué en taisant la douleur. Mais cette caractéristique qui s'est avérée utile par le passé pour l'aider à combattre s'avère aujourd'hui néfaste, bien qu'elle continue d'influencer le mode de vie de l'homme moderne. Du point de vue de l'homme, taire ses problèmes lui permet de maîtriser la situation tant que le problème reste à portée de la main (même si le corps risque de tomber malade). Il s'agit de *son* problème et il n'a pas à ennuyer les autres en le leur décrivant. Comme il sait qu'il a beaucoup de mal à trouver les solutions, il ne veut pas accabler les autres à moins de perdre toute maîtrise. S'il se rend compte que c'est le cas, et qu'il n'a pas d'autre choix, il décidera peut-être de passer à la dernière étape.

Explosion/communication

Une fois que l'homme a épuisé toutes ses ressources, il se décidera à communiquer. Cette dernière étape est la plus difficile et la communication peut se révéler inutile si l'homme continue de réfléchir et d'emmagasiner. Cette solution de «dernier recours» n'est pas une étape agréable pour l'homme. Ses capacités de communication ne sont pas aussi raffinées que celles de la femme, et le fait d'avouer qu'il n'arrive pas à résoudre un problème vient s'ajouter au sentiment désagréable d'avoir «perdu la maîtrise» de la situation.

Par exemple, supposons qu'un homme se tienne dans la cuisine, dos à la porte, et qu'il entende tout à coup son épouse (qui vient d'entrer dans la cuisine) claquer la porte d'une armoire. Au moment où il se retourne, elle est déjà ressortie de la cuisine. Comme la porte a claqué, il est persuadé (hypothèse erronée) qu'il y a un problème. Il sait qu'elle est fâchée (il ne pense même pas à s'interroger à ce sujet). Il peut alors réagir de trois façons :

1. Ne pas s'en occuper;

2. Aller la retrouver et l'aider à changer «d'humeur» en étant compréhensif; ou

3. Essayer d'arranger les choses.

S'il ne fait rien, il sait que la colère de sa femme va s'envenimer et qu'il sera obligé d'y faire face tôt ou tard. Il juge donc préférable d'opter pour la deuxième ou la troisième possibilité.

S'il décide de «l'aider», cette aide pourrait mener à une conversation comme celle-ci :

Lui : «Chérie, qu'est-ce qui ne va pas?»

Elle : «Rien. Pourquoi?»

(Il est maintenant persuadé que le fait qu'elle nie sa colère prouve que quelque chose ne va pas. Il répète alors sa question.)

Lui : «Non, vraiment. Que se passe-t-il?»

La femme commence à s'impatienter et à se demander ce qui ne va pas chez l'homme et, sans le savoir, jette de l'huile sur le feu :

Elle : «Alors, qu'est-ce qui ne va pas chez *toi*?»

Par cette réaction, l'homme est maintenant certain qu'elle a un problème, et la dispute (ou la bouderie) commence.

Rappelez-vous, cette altercation a commencé parce que l'homme «savait» deux choses (il aurait pu se tromper dans les deux cas) :

1. Elle a claqué exprès la porte de l'armoire. (Les hommes ne claquent pas les portes accidentellement.)

2. Le fait qu'elle a claqué la porte signifie qu'elle était fâchée (et comme, d'après son orientation, le monde tourne autour de lui, de son «centre», la colère de son épouse le concernait).

Lorsque je présente cette situation au cours de mes ateliers, je demande aux hommes : «D'après vous, pourquoi a-t-elle claqué la porte?» Sans que je les influence, tous les hommes répondent : «Elle était fâchée!» Lorsque je demande aux femmes d'interpréter la même situation, je reçois autant d'explications qu'il y a de femmes dans la salle. Les femmes ne partent pas de la même hypothèse que les hommes. Voici quelques-unes de leurs réponses :

«Elle ne s'est peut-être pas rendu compte qu'elle avait claqué la porte.»

«Elle avait peut-être une autre raison d'être fâchée et claquer la porte lui a permis de se défouler. Elle n'était déjà plus en colère au moment de sortir de la cuisine.»

«Elle s'amusait en claquant la porte.»

«Peut-être qu'elle était en colère contre lui, et alors? Pourquoi fallait-il qu'il en fasse tout un plat?»

Si l'homme opte pour la troisième possibilité qui lui est familière, soit d'arranger la situation, il entamera la même conversation, mais en accélérant les choses.

Lui : «Chérie, qu'est-ce qui ne va pas?»

Elle : «Rien. Pourquoi?»

L'homme est maintenant persuadé que cette dénégation prouve que quelque chose ne va pas. Alors il répète sa question :

«Non, vraiment. Que se passe-t-il?»

Elle : «Tout va bien!»

Lui : «Alors, pourquoi as-tu claqué la porte de l'armoire?»

Elle : «Je ne l'ai pas claquée!»

Lui : «J'étais dans la cuisine. Je t'ai entendue claquer la porte. Ne me dis pas que tu ne l'as pas fait! Alors, pourquoi l'as-tu claquée?»

Elle : «Bon, bon! Disons que je l'ai vraiment claquée. Qu'est-ce que ça peut faire?»

Lui : «N'essaie pas de me calmer. Je sais que tu as claqué la porte. Pourquoi ne peux-tu pas simplement l'avouer?»

Comme elle ne voit pas d'issue à cette conversation, la femme décide soit de sortir de la pièce (évitant simplement la «dispute» pour le moment ou l'envenimant), soit de dire (sur un ton convaincant) :

«Bon, tu as raison. J'ai claqué la porte. Et alors?»

Lui : «Alors, pourquoi es-tu fâchée?»

Elle : «Qui a dit que je l'étais?»

Lui : «Tu viens d'avouer que tu as claqué la porte! Nous avons déjà établi ce fait, alors pourquoi es-tu fâchée?»

Cette dispute pourrait s'éterniser et créer un malentendu plus grave encore. L'homme ne pensera jamais qu'il a pu se tromper (pour claquer la porte, il fallait que la femme soit fâchée). De plus, la femme ne pensera jamais que l'homme ne pouvait que croire qu'elle était *en colère*. (*Lui* le serait sûrement, s'il claquait la porte.)

COMMENT LA FEMME ABORDE LA COMMUNICATION

Un des principaux problèmes de communication, c'est que l'homme croit que la femme a déjà traversé les mêmes étapes que lui afin de communiquer. C'est-à-dire qu'il sera convaincu qu'elle a déjà essayé de «réfléchir» et qu'elle a échoué, qu'elle a tenté «d'emmagasiner» et qu'elle n'y est pas arrivée et que, par conséquent, elle doit éprouver un problème et que la situation lui échappe. Les communications de la femme sont perçues comme des appels à l'aide, car, selon la réalité masculine, on ne communique pas à moins d'avoir besoin d'aide!

S'exprimer pour s'exprimer et s'exprimer pour résoudre un problème

Avez-vous déjà écouté un homme discuter avec un autre homme au téléphone? Cette conversation pourrait ressembler à ce qui suit : «Congédie cet homme!» ou «Vends ta voiture!» En entendant ces paroles, une femme pourrait dire : «C'est tout? C'est ça l'amitié? Ton ami a un problème et *c'est tout* ce que tu trouves à faire?» Bon, aux yeux de l'homme, il était évident que son ami avait perdu la maîtrise de la situation, autrement il ne lui aurait pas téléphoné. Il ne sait pas quoi faire, et un véritable ami va lui dire objectivement comment reprendre la situation en main. Il ne voulait pas «bavarder». Il voulait seulement que quelqu'un lui dise comment reprendre la situation en main, parce que perdre toute maîtrise coûte cher. En effet, quand l'homme n'est pas capable de résoudre un problème émotif ou intellectuel, il dépense beaucoup d'énergie et d'efforts de concentration.

L'homme demande à la femme de le traiter de la sorte, mais la femme «bavarde» au lieu de «répondre». L'homme veut des résultats : «Que devrais-je faire?» (Il ne suivra pas nécessairement vos conseils, mais donnez-lui une réponse!)

L'homme se sent désorienté quand il discute d'un point précis avec une femme, car elle veut parfois résoudre un problème, mais ce n'est pas toujours le cas! Il arrive aussi, parfois, que la femme ne soit pas certaine qu'elle veuille résoudre un problème avant d'en avoir discuté. Malheureusement, elle ne peut pas toujours dire d'avance à l'homme si elle veut résoudre un problème ou non.

Autrement dit, la femme s'exprime parfois dans le simple but de s'exprimer. Elle ne fait que communiquer. C'est une façon d'avoir des rapports avec son entourage. Et elle ne fait que parler. Elle ne s'attend même pas à ce qu'on lui réponde car elle ignore qu'elle a besoin d'une réponse. Elle cherche à s'exprimer.

La femme s'exprime parfois pour s'exprimer, tandis que l'homme le fait presque toujours dans le but de résoudre un problème. Lorsqu'une femme communique un problème à un homme sans lui fournir de solution ni les moyens d'en trouver une, celui-ci commence immédiatement à essayer de résoudre la «question». Lorsqu'elle est en mode «s'exprimer pour s'exprimer», la femme peut parler simplement dans le but de rester en contact avec l'homme et elle ne se rend pas compte qu'il tente de l'aider à résoudre son «problème». Il se peut qu'elle ne voie aucun problème, en fait, et elle risque d'aggraver la situation ou «d'insulter» l'homme en disant : «Qui t'a demandé de l'aide?»

L'homme conçoit et définit la structure des réunions pour se les rendre agréables. On se réunit pour planifier, créer, informer, etc. L'homme a besoin de compartimenter ses pensées afin de savoir quelles règles il doit suivre. Et il existe généralement une multitude de règles, exprimées et tacites.

L'homme recherche l'uniformité afin de voir à quoi et à qui il peut faire confiance. Lorsqu'une femme «s'exprime pour s'exprimer», l'homme doit vérifier si elle dit la vérité, car selon la réalité masculine, la femme ment beaucoup trop souvent ou, du moins, l'homme a l'impression qu'elle ne se préoccupe pas de savoir si une chose est vraie ou fausse. Il ne s'agit pas nécessairement d'un mensonge, mais la femme semble moins se soucier de l'exactitude que l'homme.

Jusqu'à un certain point, la femme représente un problème pour l'homme à cause de l'inconsistance qu'elle manifeste. Cependant, étant inclusive, elle n'a pas besoin de se comporter différemment pour être heureuse (sauf dans le cas de la femme formée par un homme).

Permettez-moi de reconstituer une entrevue dont j'ai été témoin entre un psychologue et un couple. Le psychologue demande à la femme : «De quoi avez-vous besoin? Que manque-t-il à votre relation?»

Elle lui répond : «J'ai besoin qu'il me dise plus souvent qu'il m'aime.»

Le psychologue demande alors à l'homme : «Alors, l'aimez-vous?»

Et l'homme répond : «Bien entendu.» (Rappelez-vous la réalité objective de l'homme : la preuve de son amour est qu'il se trouve physiquement à ses côtés.) «Les gestes en disent plus long que les mots.» La même situation se produit lorsqu'une femme demande à un homme : «Aimes-tu ce repas?» et qu'il répond : «Je le mange, n'est-ce pas?»

Le psychologue poursuit ses questions. «Alors, vous lui dites que vous l'aimez?»

«Bien entendu, au moins trois fois par semaine.» (C'est la fréquence qu'il avait concédée.)

«Mais, vous l'aimez toute la semaine, n'est-ce pas?» demande le psychologue.

«Oui», répond le mari.

«Alors, pourquoi ne le lui dites-vous pas? Elle a besoin de l'entendre plus souvent», lui suggère le psychologue.

Le mari réplique : «Parce que ce n'est pas naturel. Je le lui dis trois fois par semaine. Si je lui disais une quatrième fois, cela semblerait simulé. Ce serait forcé. Ce ne serait pas naturel. Si je lui disais «je t'aime» une quatrième fois, ce ne serait que pour lui faire plaisir. J'aurais l'impression de mentir.»

Logique masculine. Le forcer à répéter «je t'aime» le ferait mentir. Le fait qu'il l'aimait vraiment n'avait pas d'importance. Ce quatrième «je t'aime» était «forcé» parce que l'homme ne le disait pas spontanément. Comme il se sentait manipulé par la femme, il ne répondait pas à ses attentes, même s'il aurait suffit de lui faire plaisir pour faciliter leur relation.

Plus le temps passe, moins l'homme a tendance à se montrer communicatif dans la relation, car il semble que la femme ait un besoin constant de communiquer.

SOLUTIONS AUX PROBLÈMES DE COMMUNICATION

Les principes suivants s'appliquent aux individus ou aux groupes dont les points de vue diffèrent et qui sont prêts à résoudre leurs problèmes de communication :

1. Apprenez à faire confiance aux autres, c'est-à-dire présumez qu'ils disent la vérité.

Cet apprentissage de la confiance ne signifie pas que vous deviez croire automatiquement tout ce qu'on vous dit. Il s'agit de faire preuve d'ouverture d'esprit en matière de communication. Les gens donneront parfois une opinion qui vous semblera insensée. Par exemple, vous avez chaud et vous demandez à votre ami comment il se sent. Il dira peut-être : «J'ai froid».

Si vous croyez qu'il ne fait pas froid dans la pièce, vous pouvez réagir en disant : «Comment peux-tu avoir froid? Il doit faire au moins 27 degrés ici! Qu'est-ce qui ne va pas?» Cependant, si vous présumez que votre ami dit la vérité, vous pouvez trouver une solution «gagnant-gagnant». Sinon, la conversation risque de s'enliser pendant que vous tentez d'établir qui a «raison» et qui doit changer d'avis. La relation risque maintenant de se terminer par une dispute, de l'animosité, ou dans un silence glacial. Voici une autre façon de réagir :

«Comment te sens-tu?»

«J'ai froid.»

«C'est intéressant… j'ai chaud.» ou «Veux-tu que je te prête mon veston? J'ai chaud.»

2. Présumez que l'autre personne tente de communiquer avec vous tout en essayant de vous comprendre.

La plupart des gens tentent de s'entendre avec les autres et s'efforcent de clarifier les situations. Comme vous, ils font probablement de leur mieux, compte tenu de l'information dont ils disposent. Parmi les milliers de personnes avec lesquelles j'ai travaillé, je n'en ai rencontré qu'un petit nombre qui se conduisaient délibérément sans égards pour les autres.

3. Lorsqu'un problème de communication ou qu'un malentendu se produit, traitez l'autre personne comme si elle était issue d'une culture différente. Présumez qu'elle ne tente pas de vous abaisser ni de vous influencer, mais que le problème découle uniquement d'une perception différente des choses.

Exemple : Une personne qui commence à apprendre le français s'approche de vous. Il se peut qu'elle confonde le passé et le futur des verbes, ou qu'elle utilise le mauvais pronom. Il se peut aussi qu'elle dise «intérieur» alors qu'elle parle de l'«extérieur». (Elle pourrait vous dire que vous «n'êtes pas laid» au lieu de vous dire que vous êtes «attirant».) En général, cette personne ne cherche pas à vous embarrasser, ni à vous insulter ou à vous abaisser. Il vous faut alors l'informer que son commentaire (ou son comportement) est inopportun, et lui donner l'occasion de se corriger. Il en va de même pour les titres. Nous présumons que les autres savent comment ils devraient s'adresser à nous. On pourrait appeler l'homme de plusieurs façons (homme, mâle, gars, garçon, monsieur), l'appeler par son prénom ou par son nom. On pourrait appeler la femme de diverses manières (femelle, femme, dame, mademoiselle, madame, mame), ou l'appeler par son prénom ou par son nom. Je ne crois pas que nous ayons le droit de nous offusquer de la façon dont les autres s'adressent à nous tant que nous ne les avons pas informés de la façon dont nous désirons qu'ils le fassent, en leur laissant le temps de s'adapter à nos désirs.

SOURCES DE COMMUNICATION INADÉQUATE

Dans nos conversations quotidiennes se glissent parfois des conversations inopportunes. Voici pourquoi :

1. On tente délibérément de vous ennuyer ou de vous insulter (par esprit de châtiment ou de vengeance).

2. Votre interlocuteur voit que vous aimeriez mieux que ça se passe autrement, mais il ne sait pas comment s'adapter. (Il sait que vous en êtes troublé, mais il ne sait pas comment faire autrement.)

3. Pour une raison quelconque, la personne ne peut effectuer le changement nécessaire (elle n'est pas capable d'y arriver).

4. La personne est prête à s'adapter, mais elle ne change pas aussi vite que vous le désirez.

5. Votre perception des choses est peut-être trop sensible ou trop étroite. (Par exemple, vous n'aimez peut-être pas qu'on vous qualifie de personne «mince» car cela a une connotation particulièrement négative pour vous.)

Malheureusement, nous oublions souvent cette dernière raison (nos propres perceptions) et présumons habituellement que l'autre personne tente délibérément de nous ennuyer et qu'elle y arrive (première raison).

Si vous alliez rendre visite à une personne dans un autre pays (p. ex. le Japon), vous en apprendriez probablement le plus possi-

MODES DE COMMUNICATION MASCULINS

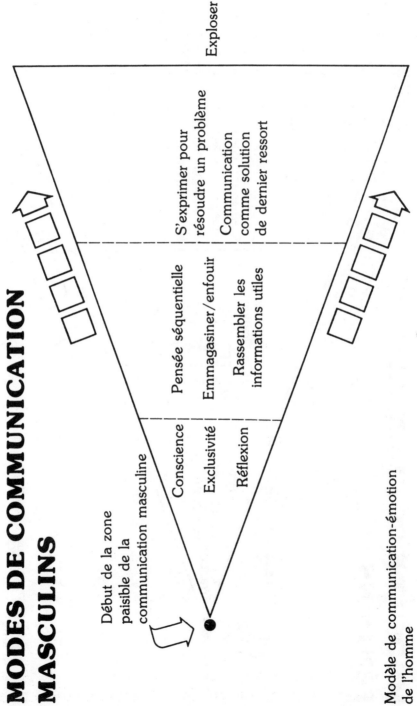

Début de la zone paisible de la communication masculine

Conscience
Exclusivité
Réflexion

Pensée séquentielle
Emmagasiner/enfouir
Rassembler les informations utiles

S'exprimer pour résoudre un problème
Communication comme solution de dernier ressort

Exploser

Modèle de communication-émotion de l'homme

MODES DE COMMUNICATION FÉMININS

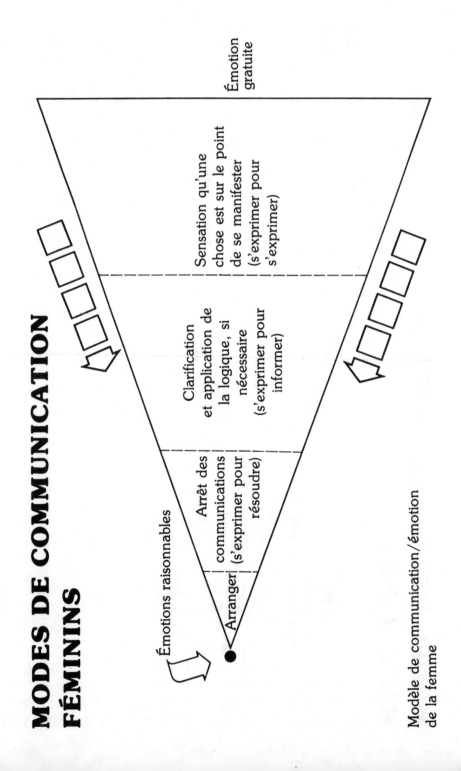

Émotions raisonnables

Émotion gratuite

Arranger (s'exprimer pour résoudre)

Arrêt des communications

Clarification et application de la logique, si nécessaire (s'exprimer pour informer)

Sensation qu'une chose est sur le point de se manifester (s'exprimer pour s'exprimer)

Modèle de communication/émotion de la femme

ble sur la culture de ce pays afin de respecter les traditions de votre hôte. En cas d'erreur ou de malentendu, vous tenteriez tous deux d'expliquer cette méprise, et finiriez par conclure qu'il s'agissait d'un geste innocent et involontaire. Vous vous excuseriez sûrement et tenteriez probablement de corriger votre langage ou votre comportement.

En vous retrouvant dans ce pays étranger, vous sauriez intellectuellement qu'aucune réalité culturelle n'est «supérieure» à l'autre. Mais émotionnellement, nous avons tous tendance à nous montrer un peu pharisaïques au sujet de notre propre réalité. Par exemple, vous pourriez croire que les gens devraient s'asseoir sur une chaise, autour d'une table, et non sur le sol; ou que les gens ne devraient pas se promener pieds nus, sauf à la maison, ou encore que faire la révérence à la personne qu'on vous présente est de nature subversive. Le fait est que votre réalité peut vous convenir sans convenir aux autres.

Il est possible de faire cesser de simples malentendus dans les communications lorsque les individus concernés sont prêts à faire leur part, à écouter et à apprendre. Les malentendus entre l'homme et la femme sont généralement aussi anodins que les malentendus culturels. Cependant, comme nous présumons que notre interlocuteur agit selon les mêmes motifs et les mêmes interprétations que nous, nous nous sentons habituellement blessés, irrités ou impatients, tandis que nous négligeons de nous excuser et de tenter de vraiment comprendre l'autre.

RÉSUMÉ DU CHAPITRE

L'homme ne reçoit pas toute l'information sensorielle que reçoit la femme.

La femme peut puiser 40 p. cent plus d'information que l'homme de ses deux hémisphères cérébraux.

La femme a tendance à discuter de sujets plus personnels et plus émotionnels que ceux de l'homme.

Certains sujets, personnellement très importants pour certaines gens, n'intéressent tout simplement pas les personnes du sexe opposé, qui, en fait, peuvent même les ridiculiser.

Ce ne sont pas les différences dans les sujets de conversation qui risquent de nuire aux relations intimes homme-femme, mais bien les distinctions quant au *style* et à la *fonction* de la conversation.

Les conversations masculines sont un lieu informel où l'on partage les solutions aux problèmes quotidiens.

La sensibilité face aux émotions représente une partie importante des conversations entre femmes. Les hommes, eux, n'y attachent que peu, ou parfois pas du tout, d'importance dans leurs conversations.

L'homme s'attend à des conversations rapides et superficielles qui lui permettent d'échanger des informations pratiques, et qui soient habituellement pratiques ou amusantes.

La femme s'attend à retirer des conversations un important soutien émotionnel, dans la mesure où elle tente de se comprendre et de comprendre les autres.

La femme peut s'étonner et s'offusquer de l'approche «solutions immédiates» qu'utilise l'homme.

Sur le plan des interventions, les garçons dominent, en classe.

Lorsque l'homme veut remédier à un certain problème, il regarde d'abord autour de lui pour en identifier la cause.

La femme regarde d'abord à l'intérieur d'elle-même pour identifier la cause apparente du problème.

Une grande partie du contenu des conversations mixtes se perd parce que l'homme et la femme définissent automatiquement les mots de façon différente.

La dynamique de groupe est totalement différente (et parfois plus agréable) lorsqu'on sépare les personnes des deux sexes.

La femme est beaucoup moins sujette aux lésions cérébrales que l'homme parce que les hémisphères du cerveau masculin sont très spécialisés.

La femme manifeste un talent supérieur à celui de l'homme pour tout ce qui concerne le vocabulaire.

L'homme risque d'être de quatre à cinq fois plus vulnérable aux troubles langagiers.

Devant une question qui peut nécessiter une communication l'homme suit le cheminement suivant :

- réfléchir,
- emmagasiner/enfouir,
- exploser/communiquer.

L'homme perçoit les communications de la femme comme un appel à l'aide, car, selon la réalité masculine, on ne communique pas à moins d'avoir besoin d'aide.

La femme s'exprime parfois pour s'exprimer, mais l'homme s'exprime toujours pour régler quelque chose.

L'homme se sent désorienté devant l'inconsistance de la femme.

Solutions aux problèmes de communication :

- Apprendre à faire confiance;
- Présumer que l'autre personne s'efforce de communiquer et de vous comprendre;
- Traiter l'autre personne comme si elle était issue d'une autre culture.

Causes des communications inopportunes :

- On tente délibérément de vous ennuyer ou de vous insulter;
- Votre interlocuteur voit que vous aimeriez que ça se passe autrement, mais il ne sait pas comment s'adapter;
- La personne ne peut effectuer le changement (elle n'est pas capable d'y arriver);
- La personne veut effectuer le changement, mais n'y parvient pas assez rapidement à vos yeux;
- Vous vous montrez peut-être trop sensible ou trop étroit dans vos perceptions.

Votre réalité peut s'avérer efficace pour vous sans l'être pour tous les autres.

12

ÉMOTION

Les émotions ne sont pas issues de la partie «rationnelle» du cerveau. De plus, la région du cerveau associée aux émotions est plus volumineuse chez la femme que chez l'homme. La femme, par conséquent, est considérablement plus avantagée que l'homme, car elle peut comprendre les émotions et les exprimer. Tout comme l'homme, au cours des siècles, a développé sa force physique et s'est fié sur elle, la femme a développé sa force émotionnelle et s'y est fiée.

Presque toutes les études psychologiques démontrent que la plupart des experts en intimité sont des femmes. (L'intimité signifie ici la manifestation des sentiments et la capacité de se confier librement aux autres.) Pour bien des hommes, l'intimité s'exprime plus par les gestes (action) que par les paroles (conversation).

Comme nous l'avons vu au chapitre précédent, pour la femme, aimer signifie exprimer son amour (en parler : réalité subjective). Pour l'homme, aimer signifie souvent être tout simplement présent (faire des gestes : réalité objective). Souvenez-vous de nos premiers exemples :

Elle : «M'aimes-tu?»

Lui : «Je suis auprès de toi, n'est-ce pas?»

ou

Elle : «Le repas te plaît-il?»

Lui : «Je le mange, n'est-ce pas?»

Pour la femme, le silence de l'homme signifie qu'il n'y a rien de réel. Elle attend que l'expression verbale confirme la réalité des choses. L'homme présume que, puisque la réalité objective existe pour lui, il est inutile de parler.

La femme assume une plus grande part de responsabilités que l'homme quant aux soins à prodiguer. Ainsi, dans 83 p. cent des familles américaines, c'est elle qui décide des soins médicaux et des questions de santé. Elle s'occupe des enfants, de son mari, des parents et des amis. Elle dirige la maisonnée, fait les emplettes, cuisine, aide toute la famille à combattre la maladie, qu'il s'agisse de la grippe ou de la varicelle, organise les dîners de famille, et n'oublie jamais d'envoyer au moment opportun des voeux d'anniversaire aux membres de la famille.

La femme sait mieux «cajoler» que l'homme, elle apporte un soutien affectif en consolant, en offrant appui moral, compliments et encouragements.

La femme présume que l'homme peut apporter le même appui émotionnel et elle a tendance, par conséquent, à éprouver moins de satisfaction que lui sur le plan amoureux et dans le mariage. Les sondages révèlent que les hommes de tout âge affirment être plus heureux sur le plan amoureux que les femmes. Les hommes sont plus nombreux que les femmes à dire qu'ils épouseraient la même personne si c'était à recommencer, et moins d'hommes que de femmes croient qu'ils divorceront un jour.

La femme *semble* éprouver plus de problèmes émotifs que l'homme car elle discute plus ouvertement que lui de ses craintes et de ses peurs. Elle est beaucoup plus sensible que l'homme à son environnement émotionnel et elle est plus encline que lui à susciter des changements. Soixante-dix pour cent des personnes ayant recours à la psychothérapie en consultation externe sont de sexe féminin. De plus, les femmes participent en plus grand nombre aux ateliers et aux colloques sur la croissance personnelle et les questions de relations.

Une étude menée en 1970 a montré que, lorsque la femme réagit différemment de l'homme, les thérapeutes ont tendance à considérer ses réactions comme «mauvaises» plutôt que «diffé-rentes». Quand on a demandé aux thérapeutes de décrire un homme, une femme et un adulte en santé, la plupart ont dit que l'homme et l'adulte en santé manifestent les mêmes traits de carac-tère. Ils ont dit que la femme en santé manifeste des caractéristi-ques contrastées mais, d'après l'étude, on considérait la femme comme une personne de sexe féminin en santé et non comme une femme adulte en santé.

Flor-Henry, professeur de psychologie clinique à l'Université d'Alberta, croit que, chez la femme, dépression et phobies vont nettement de pair. Les phobies affectent l'hémisphère droit du cerveau, dont l'organisation, chez la femme, est plus précaire que chez l'homme. Certaines phobies n'apparaissent habituellement chez la femme qu'au cours des années fertiles. Ces craintes peu-vent inclure tout ce qui pourrait s'avérer dangereux parmi son entourage : altitude, placards, espaces, eau, serpents, et ainsi de suite. Il se peut que ces peurs soient inculquées à la femme pour assurer la protection de son enfant ou de ses futurs enfants. De plus, ces craintes sont évidemment reliées à l'humeur de la femme, aux mouvements et aux capacités visuelles et spatiales, toutes fonc-tions de l'hémisphère droit. Flor-Henry dit aussi que les pulsions sexuelles en sont affectées.

Les chercheurs ont découvert que la femme obtient des autres plus facilement que l'homme l'appui émotif et les conseils dont elle a besoin. Il est important pour la femme de continuer à inci-ter l'homme à communiquer plus ouvertement durant les pério-des de stress. L'homme a besoin d'apprendre à se sentir à l'aise en parlant aux autres quand il se sent troublé.

D'après Flor-Henry et d'autres chercheurs, il est possible que le cerveau de l'enfant renferme un mécanisme qui, une fois activé chez le bébé, lui permet de pleurer librement et de soulager la tension qu'il ressent. Quelle qu'en soit la source, cette liberté est annulée plus tard, en particulier après la puberté. Bien qu'il s'agisse seulement d'une corrélation, il est intéressant de souligner que le taux de testostérone est peu élevé à la naissance (au moment où le bébé pleure librement), mais qu'il augmente chez le garçon, au cours de son adolescence. Cette augmentation du taux d'hormones pourrait expliquer pourquoi l'adolescent moyen ne se sent plus libre de pleurer.

HORMONES ET ÉMOTIONS

On commence à peine à explorer la relation entre notre comportement et la chimie de notre corps. Par exemple, le taux de testostérone des joueurs de hockey qui réagissent agressivement aux menaces des joueurs adverses est plus élevé que celui de la population masculine moyenne. Le taux de testostérone des prisonniers dont le passé criminel est depuis longtemps chargé de violence semble aussi plus élevé que chez les prisonniers normaux. Les jeunes hommes, chez qui le niveau de testostérone est très élevé, commettent la majorité des crimes violents, dont bon nombre sont de nature sexuelle. On retrouve beaucoup plus de cas de déviance et d'agressions sexuelles chez l'homme que chez la femme.

Après l'accouchement, 7 p. cent des femmes souffrent pendant des semaines, et même pendant des mois, d'une grave dépression et d'absence complète de pulsions sexuelles. (Je crois que ce chiffre augmentera à mesure que les femmes en sauront plus long sur cette affection et arriveront plus facilement à en discuter, et aussi à mesure que médecins et psychologues poseront des diagnostics plus justes.)

La psychiatre britannique Katharina Dalton croit que les tensions prémenstruelles affectent quatre femmes sur dix, du moins jusqu'à un certain point, et qu'au cours des huit jours précédant les règles, cette tension affecte gravement une de ces quatre femmes. Les symptômes de la tension prémenstruelle incluent : cafard, léthargie, dépression, perte de mémoire et de maîtrise émotionnelle. On a aussi découvert que ces symptômes contribuent à l'augmentation du nombre de disputes, d'accidents, de suicides, de cas d'enfants battus et de crimes. Selon le docteur Dalton, les femmes qui utilisent les pilules anticonceptionnelles semblent être affectées plus gravement que les autres.

Les amants, les maris, les médecins de ces femmes et les femmes elles-mêmes considèrent trop souvent que ces symptômes sont d'origine psychologique. Par conséquent, la femme qui en souffre doit elle-même «remédier» à ces symptômes, qui ont trop souvent brisé des mariages et éliminé chez elle tout sentiment d'estime de soi.

LE MAUVAIS SORT FRAPPE DEUX FOIS

Comme la femme possède deux chromosomes X, elle est plus sensible aux changements d'humeur que l'homme, et elle manque habituellement d'entrain. Certains bébés de sexe masculin naissent munis de deux chromosomes X, en plus du chromosome Y, et manifestent un comportement agressif inhabituel (syndrome de Klinefelter), mais ces cas se produisent rarement.

Les femmes auxquelles on administre des hormones mâles peuvent subir une certaine masculinisation, mais elles conservent leurs caractéristiques féminines. En fait, on ne peut effacer aucune caractéristique féminine en exposant le foetus féminin aux hormones mâles. Les personnes de sexe masculin (XXY) et les personnes de sexe féminin modifié sont tout simplement des femmes chez lesquelles on a superposé des caractéristiques masculines aux traits féminins déjà existants. Ces traits féminins subsistent et ils sont mieux protégés que les traits masculins. La nature peut se permettre de créer une variété de mâles, mais comme les femelles portent les enfants, la nature tente à tout prix de protéger les mères potentielles.

AVANTAGE ÉMOTIONNEL

L'homme commence à ressentir les émotions sur le plan physique par l'entremise de sa perception des raisons et des causes.

La femme découvre les émotions en accédant au plan physique à partir d'une zone que j'appelle «interdite aux hommes», cette partie de la réalité féminine inaccessible aux hommes. À mon avis, l'homme qui s'aventure dans la «zone interdite» et qui tente d'y rester s'en trouve désorienté et dérouté, ou devient incapable de fonctionner sur le plan physique. (Les hommes à l'esprit créateur et les maîtres spirituels ont habituellement besoin d'aide pour assurer leur survie.) La femme, pour sa part, peut agir à partir de la «zone interdite aux hommes» tout en continuant de fonctionner sur le plan physique.

Une des plaintes que j'entends très souvent chez les femmes, c'est que les hommes ont tendance à rester fixés au «centre» (immuables, inflexibles) ou à se tenir si près de la limite du plan physique qu'ils sont peu fiables, désorientés, trop émotifs ou qu'ils souffrent de dysfonctionnement. Il semble qu'il n'existe pas de juste milieu, seulement des extrêmes.

Malheureusement, les «surhommes» sont aussi rares que les «superfemmes».

Les émotions raisonnables

L'homme arrive toujours à retracer la cause (mode intellectuel) de ses émotions, et il s'attend à ce que la femme en fasse autant. Lorsqu'il ne peut régler une situation (bonne ou mauvaise), il se met à dépenser de plus en plus d'énergie jusqu'à ce qu'il trouve une solution ou qu'il se bute au «mur» de la réalité physique.

L'homme doit être prêt à perdre la maîtrise d'une certaine orientation physique s'il veut dépasser les limites de la réalité objective pour atteindre le domaine subjectif. La femme, elle, peut se promener librement d'une réalité à l'autre, tant que les exigences du niveau physique ne deviennent pas accablantes ni trop préoccupantes.

La femme croit que l'homme se sentirait mieux s'il était aussi «émotif» qu'elle. Cependant, pour l'homme, fonctionner dans le domaine émotif est épuisant, donc affaiblissant.

Le comportement approprié

L'homme ne nie pas qu'il pleure ou ressente certaines émotions. Cependant, le moment et l'endroit où il les exprime lui sont d'une grande importance et on doit respecter ce que *lui* considère comme approprié (par exemple, ne pas faire la file à la porte du cinéma!).

La femme perçoit positivement ses émotions, mais l'homme les considère comme des signaux avertisseurs. La femme utilise les émotions comme une étape que la vision doit franchir pour se manifester. (Voir dans le chapitre 11, le «Modèle de communication-émotion».) Pour sa part, l'homme s'occupe de résoudre ce qu'il considère comme un problème.

Les émotions comme indicateurs

En grande partie, les émotions de l'homme servent à vérifier ses réserves d'énergie. Lorsque l'homme ressent certaines émotions, il utilise plus d'énergie que lorsqu'il n'en ressent aucune. Quand il reste au «neutre» (sans émotions), il présume que ses décisions seront plus précises et qu'il vivra plus longtemps, car il épuise moins ses réserves d'énergie.

La perte d'énergie que l'homme subit en faisant face à ses émotions ne se traduit pas seulement par une expression négative des sentiments. L'homme consacre une certaine énergie à s'amuser, et à résoudre des problèmes. Il planifie tout et veut connaître le plus de données possible, même en vacances. La femme s'étonne toujours de voir l'homme utiliser les mêmes méthodes et manifester la même rigueur en préparant ses vacances qu'en travaillant. L'homme tire une partie de son plaisir du fait de planifier ses vacances et d'avoir assez d'énergie pour en profiter! Cependant, il ne peut être heureux que pendant un certain temps, car il finit par avoir besoin de se retirer vers son «centre» pour récupérer.

La spontanéité planifiée

Récemment, au cours d'une conférence, j'ai mentionné que l'homme n'est jamais spontané (sauf l'homme déséquilibré ou désorienté), et une des femmes de l'auditoire a pointé son mari du doigt en disant : «Mon mari a fait un geste spontané hier soir!» Je lui ai dit que je ne voulais pas provoquer une dispute entre elle et son mari, car je sais à quel point les femmes veulent que leur mari soit spontané. Je lui ai dit que son mari ne s'était certainement pas montré spontané au sens où *elle* l'entendait. (Lorsque l'homme affirme être spontané, il veut dire en réalité qu'il n'a pas planifié ses gestes, ou n'y a pas réfléchi aussi longtemps que d'habitude, mais qu'il y a tout de même réfléchi!) Le mari est intervenu : «Joe a raison, j'avais réfléchi à mon geste avant.» Sa femme s'est tournée vers lui et lui a dit : «Non, je sais que tu as agi spontanément hier soir.»

Je comprenais le dilemme du mari. Il pouvait mentir en disant : «Oui, j'ai agi spontanément», faisant ainsi plaisir à son épouse, ou encore il pouvait agir comme il l'a fait (très courageusement) et contredire son épouse en risquant de la mettre en colère.

Cet exemple illustre la difficulté que nous éprouvons à nous écouter mutuellement. La femme était ravie du geste «spontané» fait par son mari (elle ne nous a pas dit ce qu'il avait fait, mais le sourire qu'ils affichaient tous deux était merveilleux!). Le fait que le mari a planifié son geste moins longtemps que d'habitude lui procurait un certain plaisir, mais si son épouse reconnaissait qu'il ne s'était pas montré spontané, elle tirerait moins de plaisir du geste qu'il avait fait la veille.

Pas de succès sans stress

Une des principales causes de stress chez l'homme vient de la trop grande concentration qu'il met à résoudre un problème tout en respectant les limites de temps et d'énergies qu'il s'est fixées au préalable pour y parvenir. L'homme crée parfois des situations stressantes pour se mettre lui-même à l'épreuve, ainsi que ceux qui l'entourent, et pour déterminer ses limites et les leurs.

Pour la plupart des hommes, les situations suivantes génèrent le stress :

1. Lorsqu'il a poussé sa capacité de concentration à l'extrême, abordant le problème de façon «exclusive» (autrement dit, jusqu'à ce qu'il n'ait plus d'énergie);

2. Lorsqu'il n'a pas éliminé la cause de sa concentration continuelle;

3. Lorsqu'il ne s'est pas soustrait à un environnement générateur de stress.

Les femmes sur le marché du travail qui se sont placées dans des situations de stress commencent à en manifester les symptômes masculins. En temps normal, le taux d'oestrogène de la femme la protège contre les crises cardiaques et les maladies dues au stress. Cependant, le nombre de cas «d'épuisement» est extrêmement élevé. On constate aussi un taux de divorce très élevé chez les femmes occupant un poste de direction, taux beaucoup plus élevé que chez les hommes occupant le même genre de postes, lesquels bénéficient habituellement de relations avec des femmes qui les appuient (c'est-à-dire des partenaires qui n'occupent pas ce genre de postes).

Les personnes identifiées comme étant du type de personnalité A (qu'on associe habituellement aux bourreaux de travail) ont toujours le sentiment que le temps presse, sont énergiques, ont l'esprit de compétition, sont extraverties et dynamiques. Elles sont particulièrement à la merci des effets nocifs du stress.

La psychologue Marian Frankenhauser, de l'Université de Stockholm, a effectué des recherches montrant que le rythme cardiaque, la tension artérielle et le taux d'adrénaline des femmes du type A en train de résoudre les problèmes reliés au travail n'augmentent pas comme c'est le cas chez l'homme du même type de personnalité. De plus, même lorsque l'état de santé de la femme du type A et celui de l'homme du même type s'équivalent, la femme du type A subit moins de crises cardiaques que l'homme.

La femme est plus sujette au stress émotionnel résultant de situations difficiles qu'au stress dû à des «problèmes de paperasse», comme c'est le cas pour l'homme.

Certains scientifiques ont démontré, en utilisant des animaux de laboratoire au cours de leurs recherches, qu'on associe la dominance sexuelle et la défense d'un territoire important à l'hypertension et au durcissement des artères. Ces affections, dues au stress, sont mesurables. Les chercheurs ont aussi découvert que le niveau de testostérone des animaux arrivant «en tête de file» est plus élevé que celui des autres.

Lorsque la femme subit des contretemps, des échecs, ou une certaine tension émotive, elle ne «met pas les bouchées doubles», comme le fait l'homme. Elle réagit plutôt à l'opposé, en s'exprimant (en communiquant pour se soulager) ou en succombant à la dépression (en intériorisant ce qu'elle a bien pu faire pour provoquer le problème).

RÉSUMÉ DU CHAPITRE

La femme a un avantage particulier sur l'homme car elle peut comprendre les émotions et les exprimer.

Bon nombre d'hommes considèrent que l'intimité est une question de gestes (action) plutôt que de paroles (conversation).

La femme assume beaucoup plus souvent que l'homme la responsabilité de prodiguer des soins.

L'homme tire une plus grande satisfaction que la femme de l'amour et du mariage.

La femme arrive plus facilement que l'homme à obtenir l'appui émotionnel et les conseils de son entourage.

Les jeunes hommes, chez qui le taux de testostérone est le plus élevé, commettent presque tous les crimes violents.

On retrouve la déviance sexuelle plus souvent chez l'homme que chez la femme; ceux-ci commettent la plupart des agressions sexuelles.

La nature s'efforce de protéger la femme, à qui il revient de porter des enfants.

L'homme commence à vivre ses émotions sur le plan physique en en percevant les raisons et les causes.

La femme découvre les émotions en partant d'une «zone interdite aux hommes» pour parvenir au plan physique.

L'homme abandonne la maîtrise de son orientation physique afin de dépasser les limites de la réalité objective pour atteindre le domaine de la subjectivité.

La femme peut se promener librement d'une réalité à l'autre, tant que les exigences du plan physique ne deviennent pas accablantes ni trop préoccupantes.

Le moment et l'endroit où l'homme exprime ses émotions lui sont d'une grande importance, et il faut respecter ce que *lui* considère comme approprié.

La femme perçoit positivement les émotions, tandis que l'homme les considère comme des signaux avertisseurs.

En grande partie, les émotions de l'homme lui servent d'indicateurs de ses réserves d'énergie.

Chez l'homme, le stress vient d'une trop grande concentration qu'il met à résoudre un problème tout en respectant les limites de temps et d'énergie qu'il s'est fixées au préalable pour y parvenir.

L'homme crée parfois une situation stressante afin de se mettre lui-même à l'épreuve, de même que ceux qui l'entourent, et pour déterminer ses limites et les leurs.

Chez les femmes de type A aux prises avec un problème relié au travail, le rythme cardiaque, la tension artérielle et le taux d'adrénaline n'augmentent pas autant que chez les hommes du même type de personnalité.

La femme est plus sujette au stress émotionnel résultant de situations difficiles qu'au stress dû à des «problèmes de paperasse», comme c'est le cas pour l'homme.

Lorsque la femme subit des contretemps, des échecs ou des tensions émotionnelles, elle réagit généralement en s'exprimant ou en succombant à la dépression.

13

HOMMES ET FEMMES TRAVAILLANT ENSEMBLE

Dans une salle de conférence ou au cours de réunions du personnel, l'homme s'occupe de la réalité objective. Il s'occupe *toujours* de la réalité objective en *premier lieu*. Il regarde ce qui se passe autour de lui, tandis que la femme regarde à l'intérieur d'elle-même. Nous avons souligné plus tôt que ce comportement ne nous est pas inculqué. En effet, certaines expériences ont permis de démontrer qu'à partir de la naissance, hommes et femmes perçoivent la réalité de façon très différente.

Lorsque l'homme regarde autour de lui, on croit souvent, à tort, qu'il cherche à jeter la responsabilité sur quelqu'un. Par exemple, s'il se heurte à un problème avec ses employés, il peut réagir en disant : «Comment est-ce arrivé? Qui est responsable?» Il cherchera à imputer le problème à quelqu'un. S'il peut corriger cette personne, il pourra passer à autre chose. Cette façon de remédier à la situation est la plus efficace à ses yeux.

La femme dans une situation semblable intériorisera le problème (subjectif) pour voir comment elle a pu y contribuer. Si elle a une idée de la solution, elle peut la proposer.

L'homme réagira probablement en lui disant : «Fantastique, corrigez le problème.» La femme a alors l'impression que tout ce qui importe au patron est de jeter le blâme sur une personne en particulier, ce qui lui permet de s'en laver les mains. Aux yeux de la femme, il semble ignorer le travail d'équipe. Elle ne se rend cependant pas compte que l'homme ne travaille pas en équipe de la même façon qu'elle. En effet, l'homme voit le travail d'équipe comme une fonction à part et considère que chacun doit travailler de son côté (exclusif). L'homme juge qu'un travail d'équipe est de qualité quand il nécessite le moins de communication possible entre les membres (instructions, directives, et ainsi de suite). Les hommes travaillent facilement côte à côte en silence pendant des heures. Les femmes, elles, font tout le contraire : l'équipe poursuit un but, et chaque membre dépend des autres (inclusif). Les femmes jugent de la qualité de l'esprit d'équipe à partir de l'interaction entre les membres, et la communication joue un rôle important.

JEUX D'ENFANTS

Un rapport de recherche intitulé *Boys and Girls : Superheros in the Doll Corner* analyse le comportement des enfants au jeu. On a séparé les enfants en groupes de garçons et en groupes de filles. Comme dans tous les jeux, il a fallu établir des règles. Les garçons et les filles se sont donc donné des règles avant de jouer.

Les garçons

En observant les garçons, les chercheurs ont remarqué qu'à un moment donné, un des participants s'est blessé. Cet incident perturbait le jeu. Les autres garçons l'ont amené à l'écart et ont continué à jouer. Le jeu était plus important à leurs yeux que l'individu. Il saignait, et alors? (Saigner est parfois amusant! Je me rappelle avoir participé à des concours, en compagnie d'autres garçons, où nous tentions de voir qui saignerait le premier.)

Dans un autre cas, les chercheurs ont entendu un garçon dire : «Je n'aime pas cette règle.» Les autres garçons lui ont répondu : «Ou tu respectes nos règles ou tu t'en vas.»

N'est-ce pas la façon dont l'homme se conduit? Il établit des règles et s'attend à ce que tous s'y soumettent, ou il vous suggère de former votre propre équipe. Encore une fois, le jeu compte plus que les besoins de l'individu.

Les filles

Quand les chercheurs ont regardé jouer les filles, ils ont remarqué qu'après avoir joué quelque temps, l'une d'elles s'est blessée. Elles se sont arrêtées de jouer jusqu'à ce que la petite fille se soit remise. Pour les filles, la coéquipière était plus importante que le jeu.

Plus tard, une des filles a dit : «Oh, j'ai une meilleure idée au sujet des règles!»

Toutes les filles ont discuté de son idée, elles ont modifié certaines des règles et ont adopté une nouvelle version du jeu (meilleure à leurs yeux).

Les observations des chercheurs sur les «jeux d'enfants» pourraient facilement s'appliquer au comportement des adultes au travail.

Les hommes et les femmes se réunissent dans un but précis. «Bon, nous jouerons à ce jeu et en voici les règles.» Tous les hommes et toutes les femmes acceptent de respecter les règles en question. Au bout d'un moment, quelqu'un «se blesse». Les hommes disent : «Tiens bon, nous avons établi des règles, ne t'en fais pas, tout ira bien.» Les femmes auront peut-être l'impression que les hommes sont sans égards, froids ou qu'ils manquent de compassion.

Il se peut qu'une femme propose alors une nouvelle règle. Les hommes deviennent méfiants. Ils présument que cette femme est frivole, ou qu'elle n'était pas sincère en acceptant d'obéir aux règles, car ils savent qu'un homme respecterait ces règles jusqu'à la mort. Lorsqu'un homme et une femme entament une relation, ils «s'entendent» aussi sur les règles. Toutefois, quand la femme propose de les modifier, l'homme se sent coincé et manipulé.

Nous avons déjà souligné que les hommes et les femmes se sentent plus à l'aise en compagnie de personnes du même sexe, à moins d'avoir été élevés dans un milieu où dominait une personne de sexe opposé. Les hommes se sentent plus à l'aise en compagnie d'autres hommes parce qu'ils n'ont pas besoin de se soucier d'être polis, de se plier aux conventions ou de soigner leur langage. Les femmes peuvent se sentir plus à l'aise en compagnie d'autres femmes parce qu'elles ne sont pas obligées de surveiller leur langage, mais aussi parce qu'elles peuvent cesser de surveiller les sous-entendus sexuels qui semblent se glisser dans les conversations entre personnes de sexe opposé. Les hommes peuvent discuter de sujets qui les intéressent sans qu'on les accuse de se montrer insensibles ou de ne parler que de questions superficielles comme le sport, les voitures, ou les affaires. Les femmes peuvent discuter de leurs sujets favoris sans qu'on leur reproche de se montrer trop sensibles à propos de tout et de rien, ou d'entrer dans les moindres détails, ou encore de trop se préoccuper des subtilités de leurs relations.

Les femmes formées par des hommes et les hommes formés par des femmes «se sentent» plus à l'aise en compagnie de gens du sexe *opposé*, mais ils semblent avoir l'impression d'avoir perdu un lien très important au cours de leur vie. Ces individus arrivent difficilement à établir un lien avec ce qu'ils ont de masculin ou de féminin car on les a peut-être empêchés, en partie ou complètement, de s'exprimer en tant que personne de sexe masculin ou féminin pendant leur jeunesse.

Sur le marché du travail, il y a autant de femmes que d'hommes qui sont propriétaires de leur entreprise, et le nombre de femmes occupant un poste de directrice générale, de présidente d'entreprise et de cadre supérieure ne cesse d'augmenter chaque jour. Par conséquent, bon nombre d'attitudes commencent à changer, comme l'a montré la *Virginia Slims American Women's Opinion Poll* de 1986.

1. Il y a plus d'*hommes* que de femmes qui disent être conscients de la discrimination au travail.

2. Hommes et femmes disent maintenant préférer un mariage où les responsabilités sont partagées.

3. Soixante-quatorze pour cent des hommes au travail affirment maintenant qu'ils se sentiraient à l'aise si le salaire de leur épouse était plus élevé que le leur.

4. Il y a 15 ans, 58 p. cent des hommes interrogés disaient avoir moins de considération pour un «homme au foyer» qui assumerait les principales tâches domestiques. Quand

cette étude à été réalisée, seulement 25 p. cent des hommes interrogés considéraient que les «vrais hommes» ne font pas la cuisine. À l'exception des barbecues!

Dans son livre intitulé *The Four-Minute Sell*, Janet Elsea examine les stéréotypes sexuels et leurs connotations, positives ou négatives. Le fait d'appartenir à la race blanche (dans notre culture) confère toujours à l'individu une plus grande autorité que s'il appartenait à toute autre race et le fait d'être un homme confère à l'individu une plus grande puissance et une plus grande autorité. Hommes et femmes considèrent généralement que la crédibilité de l'homme est supérieure, même si la femme possède de meilleurs atouts.

Comme les indices non verbaux peuvent parfois modifier nos préjugés défavorables au sujet de l'identification raciale ou sexuelle, la communication non verbale est extrêmement importante, en particulier lorsqu'on tente de faire bonne impression en postulant un emploi, ou devant un nouveau client. Par exemple, les deux sexes utilisent différemment le contact visuel. En effet, la femme établit un contact visuel plus direct que l'homme, en particulier lorsque c'est lui qui parle. Cependant, elle a tendance à détourner les yeux plus souvent que lui lorsqu'elle a la parole.

LA DISTRACTION NÉE DE L'ATTRACTION

Selon Elsea, les femmes au physique ordinaire possédaient un avantage marqué sur les femmes séduisantes quand venait le temps de postuler un poste de direction. En effet, la beauté ne jouait en faveur des femmes que lorsqu'elles ne tentaient pas d'obtenir un poste de cadre. De plus, on recommandait généralement de donner un salaire inférieur aux femmes séduisantes qu'on songeait à promouvoir à un poste de cadre habituellement réservé aux hommes.

Ces constatations laissent entendre que les femmes devraient s'efforcer de paraître peu attrayantes et aussi «masculines» que possible pour accéder aux postes de direction des grosses entreprises.

LE PHYSIQUE IDÉAL POUR TRAVAILLER

Deux psychologues de Purdue, Kay Deaux et Laurie Lewis, ont découvert, au cours de leurs recherches, que l'image qu'on se fait de l'homme et de la femme idéals — la femme mince et l'homme musclé — influence notre manière de nous conformer aux stéréotypes sexuels. En effet, l'étude a montré que, en général, on considère que l'homme et la femme relativement grands, forts et larges d'épaules possèdent des caractéristiques masculines, et on s'attend à les voir occuper des postes réservés traditionnellement aux hommes. Par ailleurs, selon l'étude, on estime généralement que l'homme et la femme d'apparence délicate et féminine et dotés d'une voix douce ont une personnalité féminine et occupent des postes habituellement réservés aux femmes.

Les psychologues ont aussi découvert que l'apparence impeccable représentait un facteur important lors de l'évaluation des aptitudes des femmes à diriger. La recherche confirme une tendance actuelle, dans le monde des affaires : les postes de cadres supérieurs sont hors de portée de la femme qui semble trop féminine.

Par conséquent, on recommande, dans plusieurs bons guides vestimentaires destinés à la femme au travail, de garder leurs cheveux courts, d'utiliser peu de maquillage et de porter des tailleurs traditionnels pour gravir les échelons du monde des affaires. Malheureusement, la recherche révèle que ces conseils sont toujours assez fondés. (La situation changera à mesure que les femmes obtiendront davantage de postes d'autorité et d'influence. En occupant les échelons supérieurs, elles pourront établir elles-mêmes les critères!)

Habituellement, l'homme se préoccupe peu de son apparence, sauf en ce qui concerne la «bedaine», le risque de calvitie et la grosseur de ses organes génitaux. L'homme se soucie principalement de *la façon dont les femmes le perçoivent*. Il attache peu ou pas d'importance à l'opinion des autres hommes, que son apparence n'intéresse pas du tout. En fait, il peut même se montrer fier de sa tenue négligée.

L'homme porte des vêtements qui révèlent sa position, son pouvoir ou sa richesse; il porte un uniforme pour démontrer sa loyauté ou afficher son autorité, indiquer son appartenance, respecter les conventions (en portant le smoking approprié) et pour se faire remarquer (en portant les bijoux appropriés). Cependant, l'homme se sent à l'aise avec d'autres hommes quand il se fond dans le groupe, habillé sans trop de recherche ni trop négligé. Tous les hommes se trouvant dans la même pièce pourraient porter exactement le même genre de smoking, ou le même genre d'habit bleu marine, et se sentir très à l'aise. Pouvez-vous imaginer que toutes les femmes participant à une rencontre sociale portent exactement la même robe et se sentent quand même à l'aise? Il existe une exception : dans les cultures ou les religions strictes et dominées par l'homme, les vêtements de femmes se conforment aux normes masculines. Plus la femme jouit d'une liberté individuelle et culturelle, plus elle sera encline à se montrer expressive dans son choix de tissus, de couleurs et de styles.

LES NORMES VESTIMENTAIRES DANS LE MONDE DES AFFAIRES

Une étude effectuée en 1986 par le *California Business Magazine of 500*, et portant sur 500 propriétaires et présidents d'entreprises de la Californie, a montré que la formation des cadres féminins, leurs convictions personnelles et leurs méthodes de direction diffèrent substantiellement de celles des cadres masculins.

Ainsi, les cadres féminins étaient deux fois plus à qualifier leurs collègues masculins de «moins qu'honnêtes». Deux pour cent d'entre elles ont dit que certains «n'agissaient jamais honnêtement». Aucun des hommes n'était de cet avis.

Quand on leur a demandé si leur carrière était la chose la plus importante dans leur vie, 40 p. cent des cadres féminins et seulement 28 p. cent des hommes ont répondu oui. Le dévouement que les femmes manifestaient envers leur carrière semblait aussi comporter d'énormes sacrifices personnels. Selon l'étude, on retrouvait moins de femmes mariées et plus de femmes divorcées parmi les femmes propriétaires d'entreprises et les directrices générales. À choisir entre assister à la remise des diplômes de leurs enfants et participer à une importante réunion d'affaires, les femmes optaient pour la réunion d'affaires en plus grand nombre que les hommes.

Ce genre de constatations confirme ce que les femmes savent depuis des années : elles doivent se lever plus tôt que les hommes, travailler plus dur qu'eux et se montrer plus fortes qu'eux avant qu'on reconnaisse leur succès en tant que femmes d'affaires. Tous les individus et tous les groupes qui tentent de s'intégrer à la base politique (minorité) doivent faire leurs preuves. Cela peut prendre des siècles, parfois.

D'après une enquête de Peter Dubno, professeur de sciences du comportement et de gestion à la *New York Graduate School of Business Administration*, malgré tous les acquis des féministes au cours des 20 dernières années, les étudiants masculins diplômés en études commerciales manifestent, envers les cadres féminins, une attitude considérablement plus négative que les étudiantes diplômées. Les répondants venaient de trois écoles commerciales, et le sondage a eu lieu en 1975, en 1978 et en 1983. On n'a constaté aucun changement au cours de ces huit années : les hommes manifestaient toujours une attitude négative envers les cadres féminins.

Tous les hommes éprouvent un certain malaise (conscient ou inconscient) lorsqu'ils doivent traiter avec des femmes.

La mentalité, jadis, c'était que les femmes au travail devaient apprendre à réprimer les traits traditionnellement considérés comme «féminins», car les hommes abaissent le comportement féminin et ont tendance à le ridiculiser lorsqu'il se manifeste chez l'un d'eux. Nous savons désormais qu'il est vain pour les femmes d'essayer de se faire respecter par les hommes en travaillant plus dur et plus longtemps. En effet, la seule égalité qu'elles risquent d'obtenir en agissant ainsi, c'est qu'un jour elles souffriront de maladies cardiaques autant que les hommes. De toute façon, les femmes parvenues aux échelons supérieurs, ou qui ont réussi dans une profession, travaillent déjà très dur.

Le dévouement manifesté par les femmes, à mesure qu'elles adoptent les habitudes de «bourreaux de travail» de l'homme, n'impressionne pas ceux de leurs collègues qui ne leur apportent aucun soutien. Par conséquent, au lieu de se sentir admirées et respectées pour leur engagement, ces femmes qui fournissent de si grands efforts finissent par avoir l'impression qu'on s'est servi d'elles.

Lorsque nous reconnaîtrons et utiliserons les différences entre les réalités masculine et féminine, nous pourrons apprécier la façon dont tous contribuent à la qualité de la vie sur cette planète.

LE TRAVAIL D'ÉQUIPE

Wendy Wood, psychologue, a fait l'expérience suivante : elle a rassemblé des étudiants de niveau collégial, 90 garçons et 90 filles, et les a séparés en plusieurs groupes, selon leur sexe. Elle leur a demandé de répondre à trois questions. La moitié des groupes devaient trouver le plus grand nombre de réponses possible et les autres groupes ne devaient noter que les réponses qui leur sembleraient les meilleures.

En une demi-heure, les groupes masculins ont trouvé en moyenne 58 réponses, tandis que les femmes en ont trouvé 47. (Les hommes sont généralement plus attirés par le travail que les femmes; ils ont donc eu un certain avantage sur elles au cours de l'expérience.) Cependant, en analysant les résultats de tous les groupes de discussion, les chercheurs ont constaté que les réponses des groupes de filles étaient plus élaborées, mieux présentées et «plus créatives» que les réponses des groupes masculins. (Les femmes passent plus de temps que les hommes à instaurer une certaine harmonie parmi les membres du groupe et à les motiver.)

Les chercheurs ont noté qu'en travaillant en équipe, certaines femmes ont tendance à se centrer énormément sur la tâche, tandis que certains hommes se soucient beaucoup du processus. Cependant, en général, les hommes font de meilleurs candidats pour les séances de remue-méninges, tandis que les femmes excellent davantage dans les situations où la *qualité* de la solution est importante.

LES FEMMES MARIÉES, AU TRAVAIL

Selon les témoignages récents, lorsqu'une femme mariée travaille, le mari est souvent perdant. Dans l'*American Sociological Review*, on faisait état d'une enquête effectuée par l'*Institute for Social Research* de l'Université du Michigan, en 1976, au cours de laquelle on a interrogé des Américains des deux sexes. En analysant les données nationales de façon ingénieuse, les sociologues Ronald Kessler et James McRae, Jr. ont découvert que, même si les femmes mariées travaillant à l'extérieur avaient tendance à être en meilleure santé mentale que les femmes au foyer, les maris des femmes au travail étaient portés à se sous-estimer et à manifester plus de symptômes de dépression que les conjoints des femmes au foyer.

L'une des causes de l'écart de salaires entre les hommes et les femmes, c'est la concentration des femmes dans certains postes, comme ceux de secrétaire, de commis, d'infirmière, etc. Les femmes occupant ces postes ne sont pas aussi bien rémunérées que les hommes occupant les catégories d'emplois majoritairement occupées par les hommes, comme les métiers de menuisier, de peintre, d'électricien, etc. En 1986, le *New York Times* rapportait que pour chaque tantième additionnel de femmes occupant un poste d'une certaine catégorie, le salaire diminue d'environ 50 $ par année. Autrement dit, plus il y a de femmes bibliothécaires, par exemple, moins le salaire de ce groupe est élevé.

L'IDÉE DE TRAVAIL À VALEUR ÉGALE

Les femmes sont aussi réticentes que les hommes à l'idée de «travail à valeur égale». Lors d'une étude effectuée en 1987, la psychologue Brenda Major a affecté 51 étudiants, garçons et filles, à un projet de travail temporaire. On a dit aux étudiants que les travaux à accomplir comportaient les mêmes exigences, mais que certains de ces travaux étaient traditionnellement considérés soit comme féminins, soit comme masculins, soit communs aux deux sexes. On a prévenu les étudiants que leur salaire dépendrait du travail qu'on leur assignerait et de la qualité de leur rendement. Les étudiants ne savaient pas qu'en réalité tous les emplois étaient identiques.

Les femmes s'attendaient à recevoir 9,65 $ l'heure, quel que soit l'emploi qu'on leur réservait. Pour leur part, les hommes croyaient devoir gagner en moyenne 11,65 $ l'heure. De plus, Brenda Major remarqua que, indépendamment de la tâche et du salaire, les femmes étaient plus satisfaites de leur sort que les hommes.

La différence d'attitude entre les hommes et les femmes est très révélatrice de certains aspects du travail. Selon Major et Forcey, les hommes semblent s'attendre plus que les femmes à retirer certains avantages de leur emploi. Ils ne sont pas aussi reconnaissants que les femmes et sont moins enclins qu'elles à réagir aux primes d'encouragement ou à travailler plus fort dans le but d'occuper un poste de direction.

Les hommes qui se considéraient bien payés (à leurs propres yeux) ont dit fournir plus d'efforts que la moyenne. Cependant, parmi les étudiants les mieux payés, les femmes étaient plus nombreuses à fournir un effort supplémentaire.

Sur le marché du travail, les femmes manifestent un engagement plus profond que celui des hommes et leur dévouement est aussi plus intense. Les professionnels et les directeurs s'engagent plus intensément que les cols bleus dans leur travail, mais dans les deux groupes, les femmes sont plus dévouées que les hommes.

Selon certains sondages, les participantes de tous les niveaux affirmaient plus souvent que leurs homologues masculins pouvoir améliorer leur rendement. Comme nous l'avons déjà souligné, l'homme est de nature objective et cherche à l'extérieur de lui-même ce qui doit être réparé, tandis que la femme regarde au-dedans d'elle-même pour découvrir ce qui ne va pas. L'homme croit à tort que la femme qui intériorise les problèmes a une piètre image d'elle-même.

Malgré ces découvertes, on croit encore, dans plusieurs entreprises et en plusieurs endroits, que l'engagement professionnel de la femme n'est pas compatible avec ses responsabilités familiales. La femme qui annonce son intention de se marier peut encore s'attendre à ce qu'on lui demande si elle continuera de travailler ou non.

En parlant avec les femmes dans mes ateliers, j'ai découvert que lorsqu'elles se marient, leur rendement au travail n'en souffre pas et s'améliore même grandement. Habituellement, elles s'adaptent aux changements survenant dans leur vie personnelle plus facilement que leurs collègues et leurs patrons. En fait, le plus grand problème qu'elles aient à surmonter, c'est la réaction des autres face à ces changements, et non les leurs.

L'homme, lui, se demande comment il arriverait à mener de front la responsabilité de respecter ses nombreux engagements professionnels et familiaux. À ses yeux, la femme serait donc obligée de laisser tomber quelque chose pour arriver à concilier ces deux rôles. La pensée exclusive de l'homme, par opposition à la pensée inclusive de la femme, lui fait croire que, ou bien elle va échouer sur les deux plans, ou bien elle va abandonner l'un des deux.

Philip Blumstien et Pepper Schwartz ont récemment analysé, sur une grande échelle, les valeurs des Américains. Ils ont découvert que les femmes travaillant à l'extérieur ont tendance à jouir d'un plus grand pouvoir de décision à la maison. Ceci n'est pas seulement dû au fait que la femme au travail possède plus d'argent — ce qui lui donne plus d'autorité dans le couple — mais aussi au fait que l'homme respecte mieux sa partenaire (et lui concède donc une plus grande part du pouvoir) lorsqu'elle gagne un salaire. L'homme se valorise surtout par son travail. Par conséquent, il a tendance à respecter plus le travail rémunéré que le travail bénévole à la maison.

LE SOURIRE : ÉTIQUETTE D'IDENTIFICATION DES SEXES

Selon Marian Sandmaier, toutes les études sur la femme montrent qu'elle sourit plus souvent que l'homme. Vous l'avez remarqué aussi bien que moi : non seulement la femme sourit plus souvent, mais son sourire a tendance à être plus épanoui et plus ouvert que celui de l'homme. La femme sourit plus souvent aux hommes qu'aux autres femmes, et elle sourit même aux hommes qui ne lui rendent pas son sourire. Chose étonnante, ces études montrent que la femme sourit même lorsqu'on lui dit de s'en abstenir!

Bon nombre d'hommes s'imaginent que la femme qui leur sourit s'intéresse vraiment à eux, habituellement au point de vue sexuel. Cette perception place la femme dans une situation difficile. Si elle ne sourit pas, on pourra la juger distante ou «froide»; si elle sourit, elle risque de passer pour une allumeuse.

Les dangers rattachés à son sourire ne se limitent pas à sa vie personnelle. La femme occupant un poste professionnel ou de direction doit affronter un problème aussi déroutant : comment exprimer sa joie convenablement. (Rappelez-vous, déjà à la naissance, les filles sourient plus souvent que les garçons.) Les cadres supérieurs (modelés par des hommes) s'attendent à ce que la femme projette une image réservée et professionnelle. Lorsque la formation de la femme ne l'a pas habituée autrement, elle peut sourire au cours de réunions d'affaires ou quand elle fait une démonstration importante pour promouvoir une vente. Dans le domaine des affaires où hommes et femmes se croisent, le sourire de la femme peut causer un froid temporaire. L'homme peut aussi percevoir ce sourire comme un signe de soumission.

INTÉRÊT ET APTITUDE

Hommes et femmes confondent *intérêt* et *aptitude*. En effet, l'homme présume souvent que la femme ne peut exécuter certaines tâches ou qu'elle ne devrait pas participer à tel événement parce qu'il n'a pas l'habitude de voir une femme exécuter ce genre de travail. L'homme, regardant agir la femme du point de vue physique et pratique (si elle *peut*, elle *doit* le faire !) perd de vue l'intérêt qui peut motiver celle-ci. Par contre, la femme présume le contraire. Selon elle, l'homme qui peut discuter de ses émotions devrait être intéressé à le faire. S'il est capable d'agir spontanément de temps en temps, il devrait avoir le goût de le faire plus souvent.

Une étude récente portant sur les ordinateurs a montré comment l'intérêt peut s'opposer à l'aptitude. Ainsi, l'homme aime utiliser un ordinateur parce qu'il s'y intéresse. Il semble s'y adapter plus rapidement et plus facilement que la femme à cause du fonctionnement même de l'ordinateur, et non parce qu'il possède de meilleures aptitudes ou qu'il démontre plus de compétence qu'elle.

Les chercheurs Mary Poplin, David Drew et Robert Gale ont conçu un test visant à établir le profil des aptitudes, des capacités et des intérêts caractérisant les utilisateurs d'ordinateurs (*Computer Aptitude, Literacy, and Interest Profile* «CALIP»). Ces chercheurs ont d'abord cru que les femmes étaient moins douées que les hommes pour utiliser un ordinateur. Les résultats obtenus par 1 200 personnes de 12 à 60 ans ont infirmé leur hypothèse. Car les femmes ont abordé les problèmes avec un souci de la qualité (inclusives), tandis que les hommes les abordaient avec une préoccupation quantitative (exclusifs).

Les femmes examinent le contexte et les interactions (relations). Elles ont dit aimer l'ordinateur pour ce qu'il leur permet d'accomplir, mais «ne pas vouloir passer la soirée en compagnie d'un de ces appareils». Certaines femmes refusent d'utiliser l'ordinateur parce qu'elles considèrent qu'il n'a pas sa place dans leur vie, et non parce qu'elles ne peuvent apprendre à s'en servir.

Les ordinateurs sont très objectifs, très style «noir et blanc». Un bit d'information est soit positif, soit négatif. Il n'existe pas d'espace gris. L'ordinateur est l'appareil idéal pour la personne rationnelle. Fondé sur la logique pure, il ne s'occupe pas des attitudes et ne s'intéresse ni à la vitesse ni à la force de frappe. L'homme arrive plus facilement que la femme à établir des rapports avec ce «John Wayne» de l'esprit. L'ordinateur devient vite un ami rationnel, logique et fidèle qui ne vous laissera tomber qu'au moment où il sera très malade; même dans ce cas, il établit son propre diagnostic et vous indique ce qui cloche. Il ne vous reprochera sûrement pas sa maladie, et il ne s'attendera pas à ce que vous connaissiez le plus cher de ses désirs. Il n'y a pas de vraie communication entre l'utilisateur et l'ordinateur, il n'y a que des réactions. Les ordinateurs sont utiles, fiables et certainement indispensables dans certains cas, mais, aux yeux de la femme, ils ne remplaceront jamais un bon ami. Les femmes préfèrent les relations, le dialogue et les échanges.

À mesure que les ordinateurs deviendront plus animés et qu'ils seront en mesure de fouiller le domaine subjectif (l'intelligence artificielle est encore à venir), je prédis que les femmes les utiliseront de plus en plus, avec un enthousiasme grandissant.

RÉSOUDRE LES PROBLÈMES

L'homme emploie la force (énergie) pour obtenir des résultats. La force physique utilise les muscles, l'armée et l'argent, tandis que la force intellectuelle fait appel à la sémantique, au raisonnement et à la logique. La femme peut elle aussi utiliser la force, mais cela lui coûte très cher au point de vue émotionnel. C'est pourquoi elle emploie plus souvent son pouvoir d'intention. Lorsque la femme agit de manière inclusive, il est possible qu'elle connaisse déjà les résultats attendus, et qu'il ne lui reste plus qu'à procéder à la tâche, étape par étape (découverte contre détermination).

L'homme et la femme ont tendance à aborder les problèmes de façon inverse, un peu comme le peintre et le sculpteur. Ainsi, le peintre choisit une toile vierge et la transforme en tableau. Il y applique la peinture couche par couche et section par section, jusqu'à ce qu'il ait terminé son oeuvre (séquentiel-exclusif). Le tableau est achevé lorsque le peintre a appliqué la dernière goutte de peinture sur la toile et la considère terminée.

Le sculpteur, à l'inverse, «voit» déjà le travail terminé en regardant le bloc de marbre (non séquentiel-inclusif). L'oeuvre achevée existe déjà à l'intérieur, mais il lui faut la libérer pour la rendre visible aux yeux des autres. Il n'a pas besoin de lui ajouter quoi que ce soit. La sculpture est déjà complète. L'homme tend à aborder la réalité comme le «peintre», et la femme, comme le «sculpteur».

D'après ce que nous avons observé dans les chapitres précédents, l'homme aborde les problèmes ainsi :

1. De façon séquentielle (a, b, c, d, e);
2. En se concentrant (en réfléchissant à une idée à la fois);
3. En établissant des limites (en s'imposant d'avance des règles et des règlements).

La femme peut aussi faire de même, mais elle a, en plus, l'avantage de pouvoir aborder les problèmes comme suit :

1. De façon non séquentielle (en utilisant l'information au hasard, sans passer par le long processus séquentiel);
2. Sans se concentrer (elle peut réfléchir à plusieurs idées à la fois et traiter simultanément plusieurs problèmes);
3. Sans s'imposer des limites (sans se préoccuper de normes et de règlements déjà établis, réels ou imaginaires).

L'homme peut aussi utiliser ces démarches «féminines», mais il le fait beaucoup plus rarement et plus difficilement que la femme.

Au cours des ateliers que je destine aux gens des entreprises, je sépare les participants en groupes selon leur sexe. Je leur assigne ensuite des problèmes à résoudre en leur demandant de noter leurs méthodes. À la fin, lors du retour sur les discussions, la démarcation entre les démarches apparaît très nettement.

L'HUMOUR AU MASCULIN ET AU FÉMININ

L'homme et la femme se distinguent vraiment l'un de l'autre dans leur façon d'utiliser l'humour et de l'apprécier. De fait, nous savons tous très bien que les gens de l'autre sexe ne s'amusent pas nécessairement des mêmes choses que nous.

Certaines distinctions entre l'humour masculin et féminin se manifestent dès les années préscolaires. Certaines études révèlent que, en général, garçons et filles comprennent et apprécient l'humour autant les uns que les autres. Une seule différence importante : les garçons aiment l'humour hostile et s'y adonnent.

Dès l'âge de quatre ou cinq ans, les garçons sont plus enclins que les filles à trouver amusants les dessins animés violents, et leur humour favori, au jeu, tend à être plus hostile que celui des filles. À l'école élémentaire, les garçons se délectent plus volontiers que les filles dans les rimes idiotes, les vilains mots et les taquineries.

Au travail, l'homme utilise l'humour comme moyen très efficace de créer des liens et de développer un esprit d'équipe. C'est une façon commode pour lui de détendre l'atmosphère et de faire tomber les barrières. L'homme tire habituellement un grand plaisir des farces. Quand un homme part en vacances, il peut s'attendre à être victime d'une farce préparée par ses collègues pendant son absence. Par exemple, on aura réaménagé son bureau, interverti ses tiroirs, ou mis le cadenas dessus. La femme peut trouver ce genre d'humour insignifiant, mais il prouve que ces collègues admirent assez leur copain pour consacrer du temps et de l'énergie à lui jouer un tour. C'est ce qui se produit entre garçons, et entre hommes dans les publicités de bière. Ce genre d'humour ne sert pas seulement à se libérer de l'agressivité : il exprime aussi un sentiment d'appartenance. Cet humour permet à l'homme d'exprimer aisément ce qu'il ressent vis-à-vis des autres hommes et femmes.

Il arrive parfois qu'une femme — surtout si elle n'a pas eu de frères — se sente insultée par un geste ou une parole sans malice, comme une farce, une tape dans le dos. Ces insultes ou ces «grossièretés» (sous forme d'escalade d'insultes humoristiques) sont un des passe-temps favoris de l'homme. Les séances de «raillerie» que les hommes organisent lors de réunions servent en réalité à honorer la personne ainsi «éreintée», même si les commentaires qu'on lui adresse sont désobligeants. Les farces et l'humour peuvent aider l'homme à acquérir l'esprit d'équipe sans l'obliger à exprimer ses émotions. L'homme sait instinctivement que celui qui peut se laisser taquiner sur son apparence, son style, et son attitude, et qui peut en rire, doit posséder une image de lui-même assez forte. On peut donc lui faire confiance.

L'humour crée un esprit de camaraderie entre hommes et leur permet de se sentir à l'aise. L'humour utilisé à bon escient peut aussi aider à soulager les tensions relationnelles, et dénoter, chez la femme qui s'en sert, qu'elle maîtrise la situation. De plus, l'humour permet de mettre en évidence la répartition du pouvoir dans un groupe.

Dans un milieu d'affaires, la femme qui peut s'accommoder facilement de l'humour agressif de l'homme a une longueur d'avance sur celle qui perçoit ces échanges de manière négative. Évidemment, cela ne signifie pas pour autant que, pour faire partie d'une équipe, *la femme ou l'homme* doive supporter les insultes méchantes, les attitudes chauvines et les commentaires racistes.

L'attitude la plus déconcertante qu'une femme puisse prendre — et c'est souvent le cas — c'est de se sentir visée personnellement ou de prendre un commentaire au sérieux. Il n'est pas facile de garder son sang-froid et de rester sûr de soi lorsqu'on est en bute à des commentaires dénigrants ou victime d'une farce. Mais, à moins de répliquer par un mot d'esprit ou de façon amusante, on fait face à un gros problème et la situation risque de s'envenimer pour tout le monde. En réagissant de façon appropriée, la femme peut rétablir l'équilibre du pouvoir entre elle-même et l'homme qui a plaisanté à ses dépens. En interprétant la farce comme une attaque personnelle, la femme réagit parfois en attaquant personnellement l'homme qui, alors, ne comprend vraiment pas ce qui se passe.

Parfois, la femme peut se sentir obligée de défendre un membre de l'équipe victime d'une plaisanterie, alors que, en réalité, la personne visée est peut-être contente de l'attention qu'on lui porte, l'interprétant comme un signe d'acceptation. La plupart des hommes ont appris à se montrer prudents en se servant d'humour en présence des femmes car ils ne peuvent pas prévoir comment elles réagiront. Mais ils s'y essaient quand même.

D'après une étude de la psychologue Rose Laub Coser, les gens des deux sexes trouvent la situation plus drôle quand la victime d'une farce est une femme. *L'autodérision* (réalité subjective) forme presque toujours la base de l'humour que les femmes utilisent. À cause de son introspection, le fait qu'elle puisse rire d'elle-même constitue sans doute l'une des plus importantes différences dans la façon dont hommes et femmes usent d'humour.

En 1976, une étude menée par Zillman et S. Holly Stocking révéla que, selon les hommes, les gens qui se dénigrent sont moins sûrs d'eux, moins intelligents et ont moins d'esprit que ceux qui se moquent d'un ami ou d'un ennemi. Les femmes, elles, manifestent une attitude plus favorable que les hommes envers la personne qui se dénigre, qu'il s'agisse d'un homme ou d'une femme. En général, les gens se moquent d'eux-mêmes quand ils ne peuvent camoufler leurs erreurs ou leurs défauts. En prenant les devants, ils espèrent éviter les reproches des autres, ce qui leur permet, à la longue, de sauver la face. Cependant, toute personne désirant qu'on la considère comme un chef évitera de se ridiculiser.

Les hommes sont habituellement les instigateurs de farces. Mais les femmes qui connaissent le style humoristique de leurs collègues peuvent en prendre l'initiative et en tirer un certain avantage. En maniant l'humour avec savoir-faire et intelligence, la femme peut s'introduire plus discrètement dans un monde traditionnellement masculin qu'en adoptant une approche plus directe de prédominance et d'agressivité. L'humour est une tactique que la femme peut et devrait employer plus souvent. En fait, la capacité de faire des farces et de les encaisser représente peut-être une des aptitudes les plus importantes qu'une femme puisse cultiver pour travailler avec des hommes.

ÉCHANGE ÉQUILIBRÉ

Il existe une méthode fondamentalement masculine que la femme peut employer quand elle a affaire aux hommes : c'est de tout considérer sous forme d'échange. L'homme échange tout, et tout devient négociable, même si ça ne l'était pas au point de départ. L'homme se rappelle toujours toutes ses dettes. Consciemment ou non, il en garde toujours la liste en mémoire.

Par exemple, supposons que je regarde un match de football avec d'autres hommes et que je dise à mon voisin : «Dis donc, nous n'avons plus de bière», savez-vous ce qui va se passer? Rien! Personne ne bougera. Personne ne se lèvera. Personne ne se précipitera à la cuisine, *à moins qu'un des autres hommes ne me doive une faveur.* Cette dette peut venir d'une gageure que nous avions faite au sujet du dernier jeu, ou ce pourrait être son tour d'aller chercher de la bière, il pourrait être mon hôte, nous pourrions avoir conclu une sorte d'entente, mais personne n'irait chercher de bière à moins de me devoir quelque chose.

Par contre, si je regarde la télévision en compagnie d'une femme et que je dise : «Ah! nous n'avons plus de bière», elle part en chercher pour me faire plaisir. Au début, je m'attends à ce qu'elle le fasse. Je peux lui dire : «Dis donc, nous n'avons plus de bière», et la bière arrive. (Deux ou trois ans plus tard, elle me répondra : «Je ne suis pas ta _ _ _ _ _ _ _ esclave» ou quelque chose du genre.) Cependant, en tant qu'homme, je ne me serais pas levé pour aller chercher la bière, à moins que je ne l'aie voulu. J'ai donc présumé qu'elle désirait le faire, ou qu'elle me devait quelque chose. Autrement, pourquoi se serait-elle levée? Pour me faire plaisir? Parce qu'elle m'aime? Soit, mais qu'est-ce que ce geste peut lui rapporter? Elle doit vouloir quelque chose, autrement elle n'en ferait rien (comme le présume l'homme!). Cette façon de voir les choses peut sembler très froide et rationnelle, mais c'est vraiment la méthode qu'emploie l'homme pour faire ses déductions «logiques». Lorsque je discute de cet exemple avec les femmes, certaines admettent que, lorsque je dis «Dis donc, nous n'avons plus de bière», elles comprennent en réalité «Dis donc, donne-moi une bière».

Dans la plupart des problèmes qui se posent au foyer, la femme croit devoir trouver les solutions elle-même. C'est comme si elle disait : «Tu travailles et je veux travailler, mais si je ne trouve personne pour faire le ménage, je devrai m'en charger toute seule.»

Prenons le cas d'une femme qui assume la responsabilité des travaux ménagers. Si elle acceptait aussi facilement que son mari de voir la maison malpropre, ça ne ferait pas trop de problèmes. Mais voilà : la femme étant plus exigeante que l'homme et ses besoins étant différents, la saleté a tôt fait de l'agacer alors que l'homme se sent encore à l'aise dans la maison ou dans l'appartement.

Si la femme ne veut pas assumer l'entière responsabilité des travaux ménagers, elle doit exprimer ses besoins d'une autre manière. Par exemple, elle pourrait dire : «Je travaille lundi, tu travailles lundi, et *nous* n'avons personne pour nettoyer la maison. Qu'allons-*nous* faire?» (Maintenant, le problème incombe au *couple*, et plus seulement à la femme.) Si l'homme décide de ne pas aider sa femme, c'est qu'il croit probablement qu'elle lui doit quelque chose et qu'il n'a pas à s'occuper de ce problème particulier. Pour la femme, il s'agit là d'une bonne occasion de découvrir ce qui figure sur sa liste. Il répondra : «Mais, je m'occupe de ceci, de ceci et de cela.» (Rappelez-vous, l'homme ne sait pas quand la femme parle sérieusement. Alors, s'il refuse de l'aider spontanément, c'est probablement pour vérifier si elle est vraiment sérieuse.)

Pour que l'homme daigne aider la femme (remettre de l'ordre dans la maison, par exemple) il doit en tirer profit, obtenir une certaine récompense (raison). L'importance de la demande (en supposant que la relation est équilibrée) détermine l'importance de la récompense. Ce système est toujours efficace. L'homme ne le sait peut-être pas mais, inconsciemment, il marque toujours les points. Ce comportement peut sembler analytique, rationnel et avilissant mais, aux yeux d'un autre homme, il s'agit d'un moyen de se rappeler facilement «ce que chacun doit à l'autre». Cette attitude simplifie sa vie. Par conséquent, si la femme lui dit de sortir les ordures ménagères, et qu'il lui demande pourquoi il devrait le faire, elle pourrait lui répondre : «Parce qu'au cours des trois derniers jours, je me suis occupée de ceci, de ceci, et de cela.» S'il ne sort pas les ordures, c'est qu'il considère qu'elle lui doit toujours quelque chose, qu'il croit en faire plus qu'elle, ou qu'il a l'impression qu'elle n'apprécie pas ce qu'il fait. C'est une bonne occasion pour eux de s'asseoir et d'examiner leurs listes.

Si la femme gagne un salaire plus élevé que celui de l'homme, elle peut faire valoir cet argument lors de leurs négociations. Si elle gagne moins que lui, l'homme présume probablement que son salaire plus élevé lui donne droit de s'abstenir de sortir les ordures certains jours! Il recherche toujours un équilibre, un échange.

Puisque la femme, contrairement à l'homme, ne songe pas à se rappeler ses dettes, elle ne se donne pas la peine non plus d'énumérer à l'homme tout ce qu'elle fait. Si la femme compare sa liste à celle de l'homme, il cessera d'insister. S'il ne le fait pas, c'est qu'il reste quelques articles sur sa liste, ou qu'il ne fait pas confiance à sa femme.

Il est possible de régler certaines de ces questions en découvrant ce que contient la liste de l'homme. Demandez à un homme : «Qui doit quelque chose à l'autre?» ou «À qui le tour?» et il vous répondra. Il sait, en tout temps, qui occupe quelle position. Il le sait automatiquement. Ainsi, lorsque les hommes se retrouvent entre eux, ils savent tous qui doit payer la tournée. S'ils l'oublient, il est de mise de se taquiner les uns les autres, d'argumenter et de se disputer à ce sujet. La femme considère qu'il s'agit là de machisme, d'esprit de compétition et d'enfantillages, mais ce comportement fait partie intégrante de l'équilibre masculin.

La femme qui travaille doit affronter une réalité économique de la vie : elle gagne environ 70 p. cent de ce que l'homme gagne, alors qu'elle représente 42,4 p. cent de la main-d'oeuvre. (Ces chiffres varient selon les maisons de sondage, mais se situent entre 65 et 75 p. cent du salaire.) Il n'est plus nécessaire d'inciter les gens oeuvrant dans le domaine des affaires à accepter les femmes. Il faudrait plutôt comprendre et apprécier une main-d'oeuvre dont la plus importante contribution peut se faire *sans* qu'elle copie le modèle masculin.

La plupart des entreprises ont désespérément besoin de créer des occasions permettant à l'homme et à la femme d'échanger leurs points de vue ou «réalités» sur différentes questions. Les tribunes ouvertes sont une excellente façon d'examiner avec intelligence et compassion les besoins de tous les partenaires. La combinaison des attributs de l'homme et de la femme peut représenter un actif inestimable au bilan de la famille, de l'entreprise, de la communauté ou du pays.

RÉSUMÉ DU CHAPITRE

L'homme s'occupe tout d'abord de la réalité objective.

L'homme aborde le travail d'équipe avec l'idée que chaque membre a une fonction distincte et indépendante (exclusive), et le jeu est plus important que les participants.

Pour un homme, la qualité d'un travail d'équipe est d'autant meilleure qu'elle exige moins d'échanges verbaux entre les membres.

La femme aborde le travail d'équipe en considérant que l'équipe poursuit un but, que chaque membre dépend des autres (inclusif); chaque participant compte plus que le jeu, et la communication joue un rôle important.

L'homme et la femme se sentent habituellement plus à l'aise en compagnie de personnes du même sexe, à moins d'avoir été élevés dans un milieu familial dominé par une personne du sexe opposé.

L'homme et la femme considèrent habituellement que la crédibilité de l'homme est supérieure, même si !a femme possède de meilleurs atouts.

La communication non verbale peut parfois modifier nos préjugés défavorables concernant l'identification raciale ou sexuelle.

Lorsqu'elle tente d'obtenir un poste de direction, la femme d'apparence ordinaire possède un avantage significatif sur la femme plus attirante.

Les modèles physiques idéalisés — la femme mince et l'homme musclé — influencent l'évolution des stéréotypes sexuels dans le milieu du travail.

Plus la femme est libre, plus elle pourra se permettre de choix dans les tissus, les couleurs et les styles.

Tous les individus et tous les groupes qui tentent de s'intégrer à la base politique (minorité) doivent faire leurs preuves.

En général, l'homme est un meilleur candidat pour les séances de remue-méninges, tandis que la femme excelle davantage quand la *qualité* de la solution est importante.

Un des facteurs contribuant aux écarts de salaires vient de la discrimination affectant les emplois à forte concentration féminine.

L'idée de travail à valeur égale est difficile à faire accepter, en particulier parce que bon nombre de femmes croient toujours que leur travail ne vaut pas autant que celui de l'homme.

Les professionnels et les directeurs s'engagent plus intensément que les cols bleus dans leur travail, mais dans les deux groupes, les femmes sont plus engagées que les hommes.

Lorsque la femme se marie, son rendement au travail n'en souffre pas; il s'améliore même grandement.

Le plus grand problème que la femme doive affronter, c'est la réaction des autres face au changement, et non la sienne.

La femme travaillant à l'extérieur a tendance à jouir d'un plus grand pouvoir de décision à la maison.

L'homme se valorise surtout par son travail. Il a donc tendance à respecter plus le travail rémunéré que les travaux d'intérieur.

La femme sourit plus souvent que l'homme et, dans les relations d'affaires, son sourire peut causer un froid. De plus, on considère souvent son sourire comme un signe de soumission.

La femme est plus encline à aborder les problèmes avec un souci de la qualité (inclusive), tandis que l'homme préfère des mesures vérifiables, quantitatives (exclusif).

L'homme emploie la force pour obtenir des résultats.

La femme est capable d'user de sa force, mais elle emploie aussi son pouvoir de direction.

L'homme aborde les problèmes ainsi :

- De façon séquentielle (a, b, c, d, e) ;
- En se concentrant (en réfléchissant à une seule idée à la fois) ;
- En s'imposant des limites (normes et règlements préalables).

La femme peut aborder les problèmes de la même façon que l'homme, mais elle possède l'avantage additionnel de pouvoir aussi les aborder comme suit :

- De façon non séquentielle (en utilisant des informations et des idées au hasard, sans passer par le long processus séquentiel);

- Sans se concentrer (elle peut réfléchir à plusieurs idées à la fois et affronter simultanément plus de deux problèmes);

- Sans imposer de limites (elle ne se préoccupe pas des règles ni des règlements déjà établis, réels ou imaginaires).

À l'aide de farces et d'humour, l'homme peut développer l'esprit d'équipe sans être obligé d'exprimer ses émotions.

La femme qui se sent à l'aise face à l'humour agressif de l'homme, dans le monde des affaires, aura plus de chance de réussir que celle qui interprète négativement l'humour masculin.

Les gens des deux sexes considèrent qu'une farce est plus amusante lorsque la victime est une femme.

Le dénigrement de soi peut constituer une des différences les plus significatives de l'humour masculin et féminin.

Toute personne désirant qu'on la considère comme un chef évitera de se ridiculiser.

La capacité de faire des farces et de les encaisser peut représenter un des plus importants atouts que la femme puisse cultiver sur le marché du travail.

L'échange est une technique efficace que la femme peut utiliser pour traiter avec l'homme.

La femme peut apporter sa plus importante contribution au marché du travail si elle ne copie pas le modèle masculin.

La combinaison des attributs de l'homme et de la femme représente un atout imbattable.

14

DIALOGUE AVEC L'AUTEUR

En lisant ce livre, peut-être vous êtes-vous posé plusieurs questions. Au cours de mes ateliers, les participants ont l'occasion de poser leurs questions favorites. En voici quelques exemples.

RÉPONSES À DES QUESTIONS FRÉQUEMMENT POSÉES

Un homme : «Pourquoi les femmes sont-elles si manipulatrices?»

Votre question illustre une partie des difficultés habituelles survenant au cours des conversations entre hommes et femmes. Tout d'abord, par votre question, vous soulevez l'hypothèse que «les femmes sont manipulatrices». Ensuite, vous attachez une connotation négative au mot «manipulatrice», et enfin vous présumez qu'hommes et femmes devraient s'entendre sur la définition de ce terme.

Si vous appliquez les normes masculines au comportement des femmes, ces dernières vous paraîtront manipulatrices. Les hommes sont très simples. Ils ne sont pas compliqués. Ils ne sont pas très raffinés dans leur façon d'aborder les choses. Par conséquent, lorsque les femmes semblent trop s'inquiéter d'un détail qui ne l'intéresse pas vraiment, c'est qu'en réalité, ce détail existe, mais que les hommes ne le voient pas.

Une femme: «Je n'arrive pas vraiment à établir de liens avec d'autres femmes. Est-ce parce que j'ai été formée par des hommes et que j'ai adopté certaines de leurs règles pour me frayer un chemin dans leur monde?»

Le malaise qui existe entre vous et les autres femmes découle probablement du fait que vous «agissez comme un homme», sans vous en rendre compte. Les femmes réagissent envers vous comme elles le feraient automatiquement envers un homme, et elles s'éloignent de vous instinctivement. Elles se demandent : «Comment pourrais-je vous faire confiance si vous ne fonctionnez pas comme moi?»

Les hommes qui vous entourent vous acceptent comme un des leurs, ou ils vous laissent jouer leur jeu, ou vous permettent d'obtenir tel emploi parce que vous avez appris à négocier à ce niveau. Par conséquent, lorsque vous vous retrouvez en compagnie de femmes (ou des autres) qui ne négocient pas «comme les hommes» ou ne comprennent pas le processus de la négociation, elles réagissent probablement ainsi : «Pourquoi devrais-je rester auprès de vous? Vous vous comportez tellement comme un homme que je ferais tout aussi bien de me joindre à l'un d'eux.»

Une femme: «Pourquoi les hommes se conduisent-ils comme des bébés quand ils se blessent ou sont malades?»

Parce que, lorsque nous avons vraiment mal, nous restons surpris. Soudainement, nos limites physiques deviennent très évidentes. C'est pourquoi nous nous sentons si vulnérables. Un animal blessé est une proie facile. Lorsque l'homme est blessé ou malade, il a besoin de protection, et il la recherche car, pendant la période de récupération, il consacre toute son énergie à sa guérison.

Je crois que l'homme sait inconsciemment qu'il est mortel. Un plus grand nombre de bébés de sexe masculin meurent au cours d'avortements spontanés, et il y a plus de garçons que de filles qui sont emportés par des maladies infantiles au cours des deux premières années. De plus, les hommes vivent encore huit ans de moins que les femmes.

Une femme: «Comment établir un territoire neutre et créer une atmosphère qui nous permettra d'éviter de se «marcher» mutuellement sur les pieds?»

Pour commencer, sachez que vous vous *marcherez vraiment* toujours sur les pieds! Ne vous sentez pas personnellement visée! La même chose se produit dans toutes les relations.

Ensuite, lorsque les émotions sont à vif, attendez pour discuter de l'objet de votre dispute. Par exemple, si vous discutez de relations sexuelles, ne le faites pas au lit. Passez plutôt à la cuisine lorsque vous vous serez calmés. Si vous parlez de déménagement, ne le faites pas pendant que vous soulevez un objet. Ou encore, si vous discutez d'emplois et de carrières, n'essayez pas de régler la question pendant que vous vous servez de votre carnet de chèques. Sortez de la pièce où se produit ce dont vous discutez. Plus tard, vous pourrez dire: «Pouvons-nous en parler? Je crois qu'il nous faudrait en discuter.» Examinez son «bilan» pour connaître ses besoins. Examinez ensuite le vôtre pour connaître vos propres besoins. Si vous endurez une situation qui vous est malsaine, vous partez déjà du mauvais pied. De plus, si vous ne vous apercevez pas que vous êtes épuisée en commençant les négociations, vous aurez des problèmes.

Évidemment, la chose la plus importante est d'écouter attentivement l'autre personne, que vous partagiez son opinion ou pas. Demandez-lui d'en faire autant pour vous. Choisissez un moment où vous serez tous deux prêts à dialoguer, et si cela vous est impossible, allez consulter un thérapeute professionnel ou un conseiller spécialisé dans les relations interpersonnelles.

Un homme: «Les femmes sont plus anxieuses que les hommes, et elles semblent avoir besoin d'un homme dans leur vie, sinon elles se sentent "vides". Pourquoi?»

Méfiez-vous des mots chargés comme «anxieuses». Ce que vous qualifiez d'anxiété peut indiquer que la femme tente de se sentir à l'aise et de répondre à ses besoins. L'homme recherche la même satisfaction, mais il s'exprime différemment.

Il est vrai qu'hommes et femmes vivent plus sainement et plus longtemps quand leur relation est harmonieuse. L'homme considère que le comportement anxieux de la femme signifie qu'elle *doit* vivre une relation, car il ne comprend pas ce qu'elle recherche en réalité. La femme entretient des relations lui permettant de s'exprimer, d'être elle-même, de se détendre sans devoir s'inquiéter de la sexualité, de la possibilité de contracter une maladie, d'une éventuelle grossesse, et ainsi de suite.

Cela implique beaucoup plus que : «J'ai besoin d'un homme.»

L'Américain moyen mesure 1,77 mètre et pèse 77 kilos; l'Américaine moyenne mesure 1,62 mètre et pèse 58,9 kilos. L'homme tient pour acquises beaucoup de choses que la femme doit affronter tous les jours, mais il pense : «Quel est le problème?» Cependant, peu de portes sont trop lourdes pour lui, et aucune ruelle n'est trop sombre. L'homme peut se suffire à lui-même dans l'univers physique, sans faire face aux «frais généraux» dont la femme écope continuellement.

Si vous présumez qu'une chose peut être vraie ou non, comme «Je sais que les relations te rendent anxieuse», vous ne communiquez pas, car vous avez pris une décision. Vous avez déjà cessé d'écouter. Vous avez pris une décision, et la relation ne peut plus évoluer.

Bien entendu, certains hommes et certaines femmes souffrent d'anxiété. En effet, nous ne sommes pas tous en parfaite forme. Nous continuons d'évoluer. Nous sommes toujours en cheminement.

Un homme : «Pourquoi les femmes sont-elles si bizarres quand il s'agit de cartes de souhaits et de cadeaux?»

Même les hommes les plus compréhensifs ne comprennent pas encore à quel point les cadeaux sont tellement plus importants aux yeux de la femme. Certaines fêtes, comme les anniversaires de naissance ou la Saint-Valentin (et surtout quand il n'y a pas d'occasion du tout) revêtent pour la femme une signification émotionnelle que l'homme ne ressent pas ou ne comprend pas.

Contrairement à ce que pensent les hommes, la grosseur du cadeau n'a aucune importance. De plus, l'homme met du temps à se rendre compte de la signification que la femme attache (ou découvre) au cadeau reçu d'un homme. Par conséquent, l'homme offre à la femme des cadeaux chargés de signaux qu'il n'a jamais eu l'intention de transmettre.

La femme présume que l'homme a considéré tous les aspects du cadeau. Bon nombre de femmes lisent le cadeau de l'homme comme s'il s'agissait d'un intéressant mystère, chaque élément devenant un indice, chaque nuance une révélation, comme si le cadeau comportait tous les éléments de la subtilité dont une femme aurait su faire preuve en l'offrant elle-même. C'est pourquoi les femmes ont l'impression d'un manque de romantisme chez l'homme, alors qu'il s'agit seulement de manque de compréhension, ou elles sont déçues du manque de «sentiment» dont l'homme a fait preuve en choisissant le cadeau, alors qu'il s'agissait d'un geste posé sans réfléchir. En fait, la femme décode les messages accompagnant les cadeaux en se servant du manuel féminin d'interprétation et non du manuel masculin.

Un homme : «Vous dites que l'homme est plus agressif que la femme, et plus enclin qu'elle à se battre à brûle-pourpoint. Je ne songerais même pas à me battre avec vous. Je ne suis pas le genre de personne à créer des conflits. Je ne suis pas agressif. Je ne pense jamais à me battre. Je crois que c'est une attitude ennuyeuse, dégoûtante même.»

Oui, je suis d'accord avec vous. Supposons un instant que vous sortiez de la salle et que j'entre au même moment, qu'un seul de nous deux puisse franchir le seuil à la fois, et que je vous frappe l'épaule en passant. Quelle est la première idée qui vous viendrait à l'esprit?

«Bon, je ne penserais certainement pas à me battre, bien entendu.»

Cependant, on ne peut choisir de «ne pas se battre» avant d'avoir instinctivement pensé à «se battre». Évidemment, vous avez décidé de n'en rien faire, mais la chimie de votre corps réagit automatiquement. La femme ne possède pas la même chimie. La question ne se pose donc pas.

J'espère que nous pourrons un jour éliminer les combats, les armes et les guerres et trouver d'autres solutions. Par contre, j'ai besoin de savoir que mon corps peut réagir à ces conditions.

Pour l'homme, la *possibilité* d'un conflit existe toujours. Les solutions que nous apportons aux risques de conflits dépendent de notre intelligence, de notre raffinement, de notre socialisation et de la gravité des circonstances.

Un homme : «Pourquoi les femmes conduisent-elles si mal?»

Les statistiques révèlent en fait que les hommes sont deux fois plus portés que les femmes à enfreindre les lois de la circulation. En 1985, les enquêteurs commerciaux de la *R. H. Bruskin Associates* ont interrogé 1 000 adultes sur leurs expériences de conducteurs, et le sondage a montré que 63 p. cent des hommes, comparativement à seulement 40 p. cent des femmes, avaient eu un accident au volant. D'autres statistiques :

Contraventions ou sommations : 20 p. cent d'hommes, 10 p. cent de femmes;

Amendes pour excès de vitesse : 10 p. cent d'hommes, 5 p. cent de femmes;

Contraventions pour stationnement interdit : 9 p. cent d'hommes, 5 p. cent de femmes.

En conduisant, les femmes «sentent» leur destination, en font «l'expérience» et sont *en démarche* pour s'y rendre. Elles ne se préoccupent pas autant que les hommes d'arriver à l'heure, ni du nombre de kilomètres à parcourir, ni du temps que prendra le trajet.

On accuse les femmes de mal conduire en se basant sur ce que l'homme considère comme la «bonne» façon de conduire. De plus, comme l'homme a besoin de se concentrer sur une seule chose à la fois, il *aurait* vraiment des problèmes s'il conduisait comme une femme!

Une femme: «Pourquoi l'homme continue-t-il d'entretenir une relation sans espoir?»

La relation peut vous sembler sans espoir parce qu'elle est dépourvue d'échanges et de communication, mais l'homme l'interprète peut-être différemment. Pour lui, il n'y a aucun bruit, aucun ennui ni personne qui le harcèle pour le faire agir contre son gré.

L'homme demeure habituellement insensible aux messages subtils. Par exemple, il pourrait penser : «Bon! Elle est tranquille et ne se plaint pas. Tout doit aller mieux, ou alors elle s'arrange toute seule.» Par conséquent, la relation peut vous sembler terminée, alors qu'elle lui procure un certain soulagement.

Une femme: «Le président de notre entreprise s'est entouré d'hommes inférieurs, et je l'ai vu se débarrasser de tous les «cerveaux» de l'entreprise. Pourquoi a-t-il agi de la sorte?»

Il semble qu'il a voulu garder la situation en main, ou qu'il n'avait pas envie de toujours se battre, ou encore, qu'il ne voulait pas qu'on lui vole son poste. Il voulait s'entourer de gens qui ne lui feraient pas concurrence. C'est une bonne chose à faire si c'est là votre point de vue. Toutefois, si le président ou la présidente d'une entreprise désire prospérer, il ou elle doit s'entourer de personnes plus compétentes que lui ou qu'elle et qui remettront en question l'efficacité de ses plans d'expansion.

Un homme: «Pourquoi certaines femmes suivent-elles continuellement des régimes? Elles semblent toujours se préoccuper de leur corps.»

Selon certaines études, les femmes considèrent que leur poids est de 25 p. cent plus élevé qu'il ne l'est en réalité, et elles semblent se battre continuellement contre leur apparence physique. À mon avis, cette obsession vient du fait que la femme se sent mal à l'aise dans la réalité physique. Comme elle est inclusive, elle peut dépasser les frontières matérielles plus facilement que l'homme. Son corps lui rappelle cependant qu'elle est retenue par une limite physique.

La plupart des groupes de femmes avec lesquels j'ai travaillé ont discuté de poids. De leur côté, les hommes n'ont jamais abordé ce sujet, sauf pour déplorer le fait que les femmes semblent obsédées par leurs kilos.

En écoutant parler les femmes au cours de mes ateliers, j'ai découvert qu'elles ont tendance à croire trois choses au sujet de leur poids :

1. Elles croient que leur poids est trop élevé et qu'elles ont besoin de maigrir (pour raffermir différentes parties de leur corps, se débarrasser de la cellulite, et ainsi de suite);

2. Elles croient qu'elles sont trop minces et qu'elles doivent engraisser (mais seulement de certaines parties spécifiques de leurs corps!);

3. Elles croient que leur poids est idéal, mais qu'il leur faut le surveiller constamment pour éviter de devenir obèses ou maigres.

Au cours d'un atelier, une femme nous a dit qu'elle avait toujours pesé trop et qu'il lui fallait se battre contre elle-même pour éviter d'avoir l'air d'un «dirigeable». Les autres participantes ont été surprises, car cette femme avait un corps que la plupart des autres auraient été prêtes à échanger contre le leur. L'une d'elles lui a demandé comment elle pouvait parler de la sorte.

«Vous voulez rire? répondit-elle. Si je ne me surveillais pas, je pourrais prendre un kilo en un rien de temps!» On entendit un autre gémissement. (La plupart des femmes affirment qu'elles prennent un kilo juste à passer devant une pâtisserie.)

En fait, tout dépend du point de vue personnel de la femme. En effet, ce kilo pourrait tout aussi bien signifier qu'elle pèse de 9 à 13 kilos de trop. De plus, malgré les murmures de jalousie ou de frustration émanant des femmes du groupe, toutes pouvaient comprendre ce besoin d'améliorer leur apparence physique.

Une femme: «Est-il positif pour l'homme de communiquer quand il en est à la phase de la réflexion? La femme doit-elle respecter ce moment de réflexion et attendre que l'homme en ait terminé pour communiquer avec lui?»

La réponse à ces deux questions est «oui». L'homme ne veut pas verser dans le sentiment dans le seul but de communiquer. Si les larmes montaient aux yeux d'un homme, un autre homme, en le regardant, pourrait s'exclamer : «Bon, il est en plein dedans, cet homme est dans le pétrin.» L'homme aux yeux remplis de larmes pourrait s'exprimer vraiment (selon lui) et la femme dirait : «Vas-y, sors de ta carapace.» Bon, il en *est* sorti! Il ne veut pas aller plus loin. Il a atteint la limite de la zone où il se sent à l'aise et il a dit tout ce qu'il avait besoin de dire.

Parfois, l'homme peut «sortir de sa carapace plus tôt», tout comme il peut parfois lui être dangereux d'en sortir avant d'être prêt. Il suffit simplement que la femme connaisse assez l'homme, et son style, pour savoir quand il s'apprête à «s'enfouir». S'il dit : «Non, je ne suis pas prêt à en parler» et que vous savez que vous pouvez lui faire confiance, alors, en le laissant tranquille, vous poserez un vrai geste d'amour. Vous lui permettrez probablement d'accélérer le processus. J'ai découvert que si vous dites à l'homme : «Très bien, continue de travailler sur cette question», il termine assez rapidement ses réflexions, car vous lui en avez donné la possibilité. Il peut alors revenir vous voir et dire : «Tu sais, la question que tu m'as posée?» et il sera capable d'en parler. Mais cela peut prendre du temps, en particulier s'il n'a jamais eu besoin de communiquer, ou si d'autres aspects importants de votre relation n'ont pas été résolus.

Une femme : «J'ai de la difficulté avec mon mari lorsqu'il me dit : «Ne veux-tu pas travailler?» comme si c'était la pire chose au monde que de ne pas travailler. J'aime travailler, mais je l'ai fait pendant bon nombre d'années et j'aimerais faire un changement. Pourquoi résiste-t-il?»

Selon certaines statistiques, un plus grand nombre d'hommes se suicident parce qu'ils ont perdu leur famille. Il peut avoir *l'impression* qu'il se sacrifie autant que vous pour son travail, mais ce n'est pas nécessairement le cas.

Son travail lui importe beaucoup, car il lui permet de s'exprimer, de se libérer émotionnellement, et il fait partie de lui-même. L'homme tire de son travail certaines récompenses que vous n'obtenez pas. Peut-être trouve-t-il du plaisir à se démener, et peut-être ne faites-vous que tolérer votre emploi pour profiter des avantages qui en découlent. Toutefois, peut-être qu'aucun de vous deux ne s'aperçoit à quel point le fait que vous deviez supporter votre emploi affecte votre relation.

Une femme : «Quand doit-on s'arrêter dans les compromis que nous faisons avec les hommes?»

Au cours d'un atelier, une femme a raconté que son mari insistait pour installer des draperies brun foncé dans toute la maison. C'était devenu si sombre qu'aucune plante ne poussait, mais elle s'est pliée à ses désirs pour lui permettre de se sentir à l'aise et détendu à la maison. Cette femme, cependant, ne s'y sentait pas bien psychologiquement. Il n'y avait aucune chaleur, pour elle, dans ce «foyer». Rappelez-vous, l'homme a été fait pour vivre dans des cavernes et se sent plus à l'aise dans l'obscurité. Toutefois, il peut s'adapter à la lumière, à l'air et à la végétation plus facilement que la femme à l'étouffement d'une caverne. À mon avis, nous vivrions probablement toujours dans des cavernes si la femme n'avait pas dit un jour : «Il y a trop d'ossements ici, et je n'aime pas l'odeur de ces peaux.»

Nous avons tous besoin de satisfaire nos besoins, et ce processus consiste à identifier nos désirs, à les communiquer aux autres et à rechercher ce que nous voulons. Si une personne perd au profit d'une autre, aucun des deux ne progresse. Écoutez-vous et commencez à identifier la limite à ne pas dépasser. La plupart des gens se sacrifient pour sauver la relation pour eux-mêmes, pour leurs enfants, ou pour éviter les pressions imposées par le milieu. Cependant, si vous examinez en détail cette situation, vous la verrez probablement sous un angle différent.

Une femme : «Mon mari est comptable, et nous travaillons tous deux à l'extérieur du foyer. Mais je ne peux faire un seul pas à la maison sans marcher sur ses documents. Je le chicane là-dessus, et je sais que je ne marquerai pas de points de cette façon, mais je ne sais pas comment faire autrement.»

Cette situation exige d'échanger et de négocier. La femme donne beaucoup de choses gratuitement. L'homme ne le fait jamais, il note tout. Alors, au lieu de le harceler, vous pourriez lui dire : «La maisonnée ne peut pas fonctionner avec tous ces papiers. J'aimerais que nous fassions un autre arrangement. Nous avons un problème, mais je sais que nous pouvons le résoudre. Quelles solutions proposes-tu?»

Une femme: «Les hommes ne semblent pas tenir leurs promesses, et je ne parle pas des plus importantes. Ils disent accepter de faire des choses, qu'ils ne feront jamais. Quand je dis que je vais faire une chose, je la fais. Pourquoi cela se passe-t-il ainsi?»

Encore une fois, cette situation exige certaines négociations. Si le fait de ne pas tenir sa promesse ne lui coûte rien, vous vous retrouvez toujours dans le rôle de directrice, de monitrice ou de casse-pieds. La plupart des femmes ne «facturent» pas les promesses non respectées. Par conséquent, l'homme s'aperçoit qu'il peut vous apaiser en vous disant «oui», que vous le laisserez tranquille, et que vous ne lui reprocherez pas de ne pas avoir tenu sa promesse. Pourquoi en serait-il autrement? Vous dépensez de l'énergie alors qu'il n'en fait rien. De plus, comme en tant que femme vous vous exprimez parfois pour vous exprimer, l'homme ne sait plus si vous vouliez vraiment qu'il tienne sa promesse ou si vous vouliez tout simplement communiquer. Sans subir de conséquences et sans être obligé de faire un échange, l'homme présume que vous désiriez seulement «vous exprimer pour vous exprimer».

Un homme: «Comment réussir à communiquer ouvertement si je dois toujours essayer de deviner comment elle interprétera mes paroles?»

C'est que l'homme essaie trop de deviner. Il tente de déterminer d'avance la nature du problème au lieu de demander à la femme ce qu'il en est. Nous demandons très rarement aux autres ce qu'ils veulent ou ce dont ils ont besoin. Ceux d'entre nous qui réussissent leurs négociations et leurs relations avec les autres demandent: «Quels sont vos besoins?» au lieu d'essayer de deviner ce qui ne va pas. Nous nous demandons plutôt: «Comment pourrais-je me préparer à éviter le problème?» au lieu de demander à l'autre: «Qu'ai-je fait de mal? Que voudrais-tu que je fasse?». En posant ces questions, nous risquons que la personne de l'autre sexe nous dise ce qu'elle attend de nous, et qu'il s'agisse de quelque chose que nous ne voulons vraiment pas faire. Ou encore, la réponse de l'autre peut nous désorienter ou ne sembler avoir aucun rapport avec notre question. Nous avons donc tendance à ne rien demander.

Par exemple, lorsqu'un homme demande à une femme : «Quels sont tes besoins?» elle pourrait d'abord répondre : «J'ai seulement besoin que tu me serres dans tes bras.» Si c'était le cas, l'homme commencerait à calculer. Pendant combien de temps devrait-il la serrer dans ses bras? S'il ne la serre pas assez long-temps dans ses bras, c'est une perte de temps. Si elle a besoin d'être enlacée pendant quatre minutes et qu'il ne le fait que pen-dant trois minutes, elle pourrait dire : «C'est tout? Ne m'aimes-tu pas vraiment? Où vas-tu?» Par contre, s'il l'enlace trop longtemps, la situation commence à prendre une tournure qu'elle ne désire pas. Alors l'homme essaie de comprendre après coup. S'il lui demande combien de temps il doit la serrer dans ses bras, il l'insul-tera. S'il lui demande : «Tu veux que je te serre dans mes bras pendant trois ou quatre minutes?», il provoquera une dispute.

Par contre, si un *homme* dit : «J'ai simplement besoin qu'on me laisse seul», je pourrais lui demander : «Pendant combien de temps?» et il pourrait me répondre : «huit minutes». L'homme me dirait un chiffre et s'assurerait de le respecter. Il s'efforcerait de ne prendre que huit minutes, et il y arriverait. Si je demande à une femme combien de temps il lui faut, elle me dira probablement : «Je ne sais pas» ou simplement «Quelques minutes seulement».

Pour l'homme, «quelques minutes seulement» peut signifier douze secondes ou une heure et demie. En attendant, il exami-nerait ses cicatrices et se dirait : «Mon Dieu, la dernière fois que cette femme a tenu ces propos, j'ai dû l'attendre à rien faire pen-dant une heure.» Ceci explique pourquoi nous semblons parfois nous fâcher sans raison apparente.

Par conséquent, nous présumons que nous savons ce qui se passe, ce que pense l'autre personne, et que nous pouvons le découvrir sans rien lui demander. Nous demandons aux autres ce qu'ils désirent, ils nous en informent, mais si nous ne voulons pas y répondre ou que nous ne les croyons pas, nous cessons de nous informer et cela crée un problème. La femme en fait autant. Elle présume qu'elle sait ce que l'homme désire.

Ces questions sont révélatrices de ce que la femme et l'homme désirent savoir l'un sur l'autre. Elles illustrent aussi tout ce que nous présumons au sujet de l'autre et à quel point nous reconnaissons rarement les différences existant réellement entre les personnes des deux sexes. D'après mon expérience, les relations deviennent de plus en plus faciles et satisfaisantes dès que nous prenons ces distinctions en considération.

15

Comment établir un rapprochement entre personnes de sexe opposé

L'information ne sert pas à grand-chose dans la vie si on ne peut l'appliquer. Voici quelques suggestions de méthodes que vous pouvez commencer à employer immédiatement. Vous découvrirez vos propres méthodes à mesure que vous utiliserez ces nouvelles idées.

MÉTHODES

Comment respecter ce que dit la femme

L'homme peut s'expliquer certains comportements de la femme mais d'autres le laissent perplexe, malgré les efforts qu'il déploie pour les comprendre. Si, en tant qu'homme, vous vous trouvez dans cette situation, dites simplement à la femme : «Ce dont tu parles m'est tout à fait étranger. Je n'arrive vraiment pas à comprendre ce que tu veux dire, mais je t'aime», ou «Je te fais confiance», ou encore «Je respecte ce que tu dis, je n'ai pas besoin de le comprendre, et nous en resterons là», au lieu de vous ingénier à comprendre ce qu'elle dit.

228 Comprendre le sexe opposé

Comment associer un homme à la recherche de solutions

L'homme et la femme se trompent mutuellement sur leurs intentions. La femme a tendance à dire : «Je dois mal comprendre la situation. Que puis-je faire pour y remédier?» N'oubliez pas que l'homme fait aussi partie de la démarche. Il a aussi sa part de responsabilités et vous devez lui rappeler qu'il doit vous écouter comme vous le faites pour lui. Essayez tous deux de vous comprendre. L'homme doit s'efforcer de faire, comme vous, la moitié du chemin. Bon nombre de femmes se soucient tellement de trouver une solution aux problèmes qu'elles ont tendance à les intérioriser, à dire : «Je vois ce qui m'est arrivé» et à commencer à remédier elles-mêmes à la situation. Évidemment, il ne reste plus à l'homme qu'à lui dire : «Bon, tu as trouvé ce qui n'allait pas et causait nos disputes. Alors, il ne te reste plus qu'à tout arranger, et nous ne nous disputerons plus.» Permettez-lui plutôt de constater comme il contribue au problème; vous pouvez le résoudre moitié-moitié.

Comment l'homme et la femme peuvent se sortir de disputes causées par les suppositions

Pour que cette méthode soit efficace, l'homme doit être prêt à laisser tomber ses propres soupçons et à faire confiance à la femme.

1. Il demande : «Es-tu fâchée?» (ou l'interroge sur l'émotion qu'il la soupçonne de ressentir). Si elle lui répond : «Non, je ne le suis pas», il doit laisser tomber, arrêter d'en parler. Par contre, si elle répond «Oui», il peut passer à la question suivante, qui devrait être posée seulement dans le but de permettre à l'homme d'avoir l'esprit en paix.

2. «Est-ce que ça me concerne?» La plupart du temps, la femme sera surprise de voir que l'homme s'imagine avoir causé le problème, qu'il croit que tout tourne autour de lui. (Rappelez-vous, la réalité exclusive de l'homme lui fait croire qu'il est au centre de l'univers.) Neuf fois sur dix la femme lui dira : «Non, tu n'y es pour rien.» Cependant, même si elle lui répond : «Oui, cela te concerne», ce n'est pas forcément dramatique, pour la femme, que d'avoir un problème avec son compagnon. En effet, elle

sait que la situation se réglera probablement d'elle-même, au fil des jours. Alors, dans les neuf cas sur dix où le problème n'a rien à voir avec lui, l'homme peut se montrer objectif et d'un grand soutien, au lieu d'être sur la défensive. Il peut alors demander :

3. «Puis-je faire quelque chose pour toi?» L'homme ne devrait lui poser cette question que s'il est vraiment prêt à faire ce qu'elle lui demandera. Elle voudra peut-être seulement qu'il la serre dans ses bras, ou qu'il lui parle, ou encore qu'il modifie quelque chose dans son environnement. Il devra alors se montrer plein de compassion et lui manifester un grand soutien.

Cette méthode est aussi efficace lorsque les rôles sont inversés. La femme doit pouvoir écouter l'homme s'exprimer à sa façon, sans l'accuser de se montrer «trop objectif et impitoyable».

Comment permettre à l'homme de reprendre la situation en main

(Cette méthode est efficace pour l'homme ou pour la femme qui dirige des hommes.)

Lorsqu'on offre plusieurs choix à l'homme sans lui fournir l'information nécessaire pour prendre une décision précise, il peut se sentir déconcerté et désorienté. S'il semble bloqué et avoir perdu la maîtrise :

1. «Simulez» la certitude. Ayez l'air d'avoir la situation en main. Montrez peu d'émotions, respirez lentement et régulièrement, ayez l'air autoritaire;

2. Procédez de façon linéaire, pour qu'il puisse suivre votre raisonnement;

3. Demandez-lui de vous faire confiance;

4. S'il dit qu'il n'a pas confiance en vous, demandez-lui ce que vous devez faire pour l'aider à vous faire confiance;

5. En général, lorsque vous affrontez une situation remplie d'émotions très denses, donnez des ordres et des directives.

NOTE PERSONNELLE

Participant : «Je ressens une sensation agréable, mais je me sens aussi troublé. Je sais que je dois examiner certaines informations, mais celles-ci sont troublantes. J'aimerais savoir ce que vous avez ressenti lorsque vous avez vous-même exploré ces sentiments.»

C'est une très bonne question. J'ai commencé à rassembler ce matériel, comme dans le cas de tout ce que nous entreprenons, pour répondre à un besoin, le mien et non celui des autres. Je me sentais désorienté. Je tentais de comprendre ce qui se passait dans mes relations personnelles et professionnelles avec les femmes. En préparant ce matériel, la première chose que j'ai découverte et que j'ai dû reconnaître fut : «Mon Dieu, notre problème est plus grave que je ne le croyais. Il existe plus de différence que je ne l'aurais imaginé entre l'homme et la femme. Comment arriverons-nous jamais à nous entendre?»

Ensuite, j'ai passé par une période de colère, imputable en partie au fait que je me sentais incompris des femmes. J'étais aussi déçu de moi-même et je m'en voulais de n'avoir pas toujours su écouter les femmes alors qu'elles me disaient leur vérité. Par la suite, j'ai de nouveau pu me montrer plein de compassion, mais j'y ai mis du temps.

Tout d'abord, j'ai dû surmonter la colère que je ressentais à l'idée de m'être laissé réprimer à l'occasion. Je m'étais permis de céder aux femmes. Je disais : «Oui, je le ferai» alors que je voulais vraiment dire : «Non, je ne veux pas le faire» ou «Je ne veux pas dépenser tout cet argent». Je m'étais conduit de façon avilissante envers moi-même. Je m'en voulais et j'en voulais aux femmes de ma vie de m'avoir «fait ça».

Je me suis ensuite aperçu que les femmes n'agissaient pas délibérément de façon à m'ennuyer. En fait, elles essayaient de me faire plaisir la plupart du temps. Je me suis rendu compte que j'avais mal interprété leurs intentions. Alors ma colère a continué de se dissiper.

J'ai aussi commencé à ressentir une certaine compassion envers moi-même en constatant que je n'avais pas l'intention de manquer d'égards envers les femmes. En effet, nos malentendus et nos blessures sentimentales découlaient tout simplement du processus des relations entre hommes et femmes. Par la suite, à mesure que le temps passait, j'ai pu écouter les femmes plus attentivement. J'ai réussi à m'empêcher de réagir de façon typiquement masculine, comme je l'aurais fait devant un autre homme. Je me suis aperçu qu'une partie de ma colère avait surgi automatiquement, tout simplement parce que je m'adressais à une femme. Je me suis mis à demander plus souvent «Que voulez-vous dire?» ou «Comment vous sentez-vous?» et j'ai appris à dire plus souvent «Je suis désolé». Par ailleurs j'ai constaté que certaines personnes n'aiment pas entendre dire «Je suis désolé». Ces gens étaient si fâchés en vivant leur propre processus que lorsque je leur ai dit «Je n'avais pas l'intention de vous insulter. Je suis désolé si je l'ai fait», ils m'ont répondu «Mais (...) vous devriez savoir que c'est une insulte». J'ai commencé à m'éloigner de ce genre de personnes. Je ne permets pas aux autres de ne pas m'écouter.

J'ai finalement évacué ma colère de façon positive et saine. Un de mes copains a suivi une partie de cette démarche avec moi. Il était disponible pour moi, d'homme à homme. Il pouvait encaisser les coups. Il savait, en tant qu'homme, ce que signifiait pour moi me «libérer» en sa compagnie, et je ne l'ai pas fait gentiment ni poliment. Plus tard, nous avons fait les mises au point nécessaires.

Mes amies se sont montrées sympathiques, et m'ont apporté soutien et compassion la plupart du temps. Avec elles, je pouvais me libérer émotionnellement. Toutefois, il m'était agréable de me retrouver avec mes copains et de ne pas avoir à m'inquiéter de subir des blessures physiques ou morales à cause de mon comportement.

Un lent processus de récupération a précédé le stade de la découverte. En effet, à mesure que j'en apprenais sur mes relations avec les femmes, je me suis rendu compte que je me disais : «Bon, voilà la source de notre dispute. Je comprends désormais pourquoi elle s'est produite.» Certaines personne se libèrent de leur colère en rêvant ou en se conduisant différemment au travail. Il est fascinant de constater à quel point les hommes et les femmes sont prêts à collaborer une fois qu'ils comprennent leurs réalités mutuelles et qu'ils les respectent.

J'encourage les gens à avoir confiance en eux-mêmes, et je crois que nous faisons naturellement preuve d'équilibre lorsque nous nous faisons confiance *mutuellement*. Nous possédons tous des talents individuels dont nous pouvons faire profiter le monde entier, et que nous pouvons partager à l'intérieur de nos relations. Nous évoluons très sainement quand nous arrivons à corriger ce qui ne va pas en nous, tout en demeurant «homme» ou «femme».

Je crois que tous les hommes ont l'impression confuse d'être de moins en moins utiles sur cette planète. L'automatisation et l'accès des femmes à un nombre grandissant de métiers tradition-nellement masculins y contribuent largement. Dans le passé, une des principales responsabilités de l'homme consistait à assurer la survie (chasse, récolte de nourriture) de la communauté. Avec l'arrivée des nouvelles récoltes, de nouvelles façons de traiter les sources protéiques, et de nouvelles méthodes de pisciculture, les talents de chasseur de l'homme (vitesse et agilité, capacité de se concentrer sur les cibles) sont devenus inutiles. Avec l'invention de l'équipement hydraulique, la force brute de l'homme et sa résis-tance à la douleur ne sont plus essentielles. L'ordinateur remplace rapidement le côté rationnel de l'homme : sa pensée logique et ordonnée, sa méthodologie séquentielle et sa mémoire des détails. Seule la procréation justifie l'existence de l'homme sur cette pla-nète. Et lorsque nous aurons perfectionné les techniques de repro-duction par clone, et que l'homme perdra jusqu'à son rôle de géniteur, la survie de l'espèce humaine dépendra principalement des femmes.

Je n'insinue pas que les hommes pensent consciemment à leur extinction. Je veux dire cependant qu'ils se sentent désorientés en ce qui a trait aux femmes, et que la cause sous-jacente de cette confusion est l'incertitude qu'ils ressentent quant à leur rôle et à leur raison d'être dans la vie des femmes. Même si les explica-tions fondées sur la biologie semblent parfois tirées par les che-veux, je me suis aperçu qu'elles nous aident à apaiser nos conflits et à vivre des relations plus agréables.

Au cours d'un de mes ateliers, un homme s'est mis à parler de la relation qu'il vivait avec sa femme. Il avait toujours un peu douté de leur relation. Il l'aimait et voulait rester avec elle toute sa vie, malgré une inquiétude qu'il ne pouvait identifier. Quelques minutes après cette prise de conscience, il s'est mis a pleurer. (Il n'est pas rare de voir un homme pleurer au cours d'un atelier, mais il est assez inhabituel que cela attire l'attention de tous les participants.) En approfondissant la question, il a avoué avoir peur que son épouse le quitte parce qu'il ne comprenait pas pourquoi elle entretenait avec lui une relation privilégiée. Il savait qu'elle l'aimait, mais elle avait un côté insaisissable qu'il croyait ne jamais pouvoir atteindre. En son for intérieur, il s'interrogeait sur la stabilité de leur relation, car certains aspects lui échappaient. Il savait que c'était elle qui maintenait la relation et qu'il ne pouvait en faire autant. Il craignait donc que son épouse ne lâche prise et que la relation se détériore sans qu'il ne puisse rien y faire.

J'ai été étonné de sa perspicacité et émerveillé devant son ouverture d'esprit et son honnêteté. Par ses paroles, il n'essayait pas d'illustrer des idées préconçues ou idéalisées concernant les relations. J'ai demandé aux autres hommes leurs impressions sur ce qu'ils venaient d'entendre. Tous ont reconnu qu'ils n'avaient jamais fait part de ce sentiment jusqu'alors, mais qu'ils ressentaient la même chose. Leurs épouses se sont étonnées de leur tendresse et ont grandement apprécié la vulnérabilité dont ils semblaient faire preuve. Elles ont commencé à comprendre comment leurs maris entrevoyaient leur relation et à quel point ils se fiaient sur elles pour maintenir une certaine stabilité. Elles se sont aperçues aussi que les hommes avaient besoin qu'on leur confirme le succès de leur relation. Je cite souvent cet exemple en m'adressant à des groupes d'hommes, et les participants confirment presque toujours leurs inquiétudes face à leurs relations et au rôle qu'ils y tiennent.

À mon avis, les hommes ont besoin de renforcer leurs «fraternités» et les femmes, leurs «solidarités féminines» pour être davantage en mesure de répondre aux attentes du sexe opposé et de lui apporter le soutien qu'il recherche. On peut répondre à la fois aux besoins des hommes et des femmes et rétablir ainsi l'équilibre. Par conséquent, nous aurons la force de nous dire, entre personnes de sexe opposé, «Que puis-je faire pour toi maintenant?» (Et nous pourrons le faire sainement, et avec plaisir.)

À cette étape de ma vie, je me rends compte que j'ai noué des relations avec toutes sortes de personnes. Je sais qu'il existe des types de femmes que j'aime, et d'autres que je n'aime pas. Il en va de même pour les hommes. Je choisis des amis sincères qui acceptent de partager les bons et les mauvais moments. Je m'entoure de gens qui peuvent être à l'écoute de mes besoins, qui sont prêts à me communiquer les leurs, et me permettent d'être moi-même. C'est là la base de toutes mes relations et de toutes mes amitiés. Je vous suggère d'en faire autant.

IMPRIMERIE L'ÉCLAIREUR

Une division de Groupe d'imprimeries Quebecor inc.

18048